Precários em Portugal

© Cooperativa Outro Modo e os autores

Capa: FBA

Depósito Legal n.º 333026/11

Biblioteca Nacional de Portugal – Catalogação na Publicação

Precários em Portugal: da fábrica ao *call-center* / org. José Nuno Matos, Nuno
Domingos, Rahul Kumar.
ISBN 978-972-44-1695-3

I – MATOS, José Nuno do Couto Furtado Moreira de
II – DOMINGOS, Nuno
III – KUMAR, Rahul

CDU 331

Paginação:
MJA

Impressão e acabamento:
Papelmunde, SMG, Lda
para
EDIÇÕES 70, LDA.
Setembro de 2011

Direitos reservados para Portugal

EDIÇÕES 70, Lda.
Rua Luciano Cordeiro, 123 – 1.º Esq.º - 1069-157 Lisboa, Portugal
Tel.: 213190240 – Fax: 213190249
e-mail: geral@edicoes70.pt

www.edicoes70.pt

Nenhuma parte deste livro pode ser utilizada ou reproduzida, no todo ou em parte, por
qualquer processo mecânico, fotográfico, electrónico ou de gravação, para uso público ou
privado (além do uso legal como breve citação em artigos e críticas) sem autorização prévia,
por escrito, da editora.

Este livro não pode ser emprestado, revendido, alugado ou estar disponível sob qualquer
forma comercial que não seja o seu actual formato sem o consentimento da editora.
Qualquer transgressão à lei dos Direitos de Autor será passível de procedimento judicial.

Precários em Portugal
Entre a fábrica e o "call center"

ORGANIZAÇÃO DE:
JOSÉ NUNO MATOS – NUNO DOMINGOS – RAHUL KUMAR

ÍNDICE

INTRODUÇÃO 9

AS FACES PRECÁRIAS DA FLEXIBILIDADE
Ana Maria Duarte 15
  Solidariedades estilhaçadas 19
  Ameaça constante de encerramento 23

DESEMPREGO:
A POLÍTICA PARA LÁ DO TRABALHO
José Nuno Matos 27
  Os desempregados ao ataque 32
  Da crítica do desemprego à crítica do trabalho 36

CONSTRUÇÃO CIVIL:
PRECARIEDADE E RISCO CRESCENTE DE EXCLUSÃO
Maria Cidália Queiroz 39
  A precariedade vivida como oportunidade 41
  Divórcio entre socialização escolar e profissional .. 46
  Precariedade e integração desqualificante 47

TRABALHO DOMÉSTICO:

SINGULARIDADES DE UMA ACTIVIDADE PRECÁRIA

Pedro David Gomes e **Vanessa R. de la Blétière** . .   51

IMIGRANTES E PRECARIEDADE LABORAL:

O CASO DOS TRABALHADORES DE ORIGEM AFRICANA

Sónia Pereira   63

    Empregadores e vínculos laborais   66

    Horários e ritmos de trabalho   68

    Condições salariais e desemprego   69

    Discriminação   71

    Condições de higiene e segurança e acidentes de tra-

    balho   72

O VERDE E A ESPERANÇA:

VIVÊNCIAS DA CRISE NO VALE DO AVE

Virgílio Borges Pereira   75

    (Re)produção de vivências de crise   79

    Realidade e projecto na região   82

O SISTEMA NERVOSO:

EFEITOS DA PRECARIZAÇÃO NO OPERARIADO DO VALE

DO SOUSA

Bruno Monteiro   85

O TRABALHO EM CENTROS COMERCIAIS:

NOTAS SOBRE UMA PESQUISA EMPÍRICA

Sofia Alexandre Cruz   95

    Os centros comerciais   97

A precariedade laboral e os trabalhadores das lojas de
vestuário e restauração 98

UM CENTRO COMERCIAL
NÃO É UM CENTRO COMERCIAL
Rahul Kumar 105
Do comércio tradicional aos grandes grupos interna-
cionais 108
Dois modelos de precariedade 112

CALL CENTERS: À DESCOBERTA DA ILHA
Fernando Ramalho e **Rui Duarte** 117
Sindicalismo nos *call centers* 121
A abstracção do trabalho na sua forma acabada ... 123

CALL CENTERS:
TEMPLOS DE PRECARIEDADE (AUTO)IMPOSTA
João Assunção Ribeiro, Marcos Pereira e **Ricardo
Costa** 125
Diálogos de precariedade 133

INTRODUÇÃO

Em 2010, Portugal era o terceiro país da União Europeia com maior índice de precariedade laboral. Cerca de 23,2% dos trabalhadores por conta de outrem estavam ligados à sua entidade patronal por um contrato a termo ou por outro tipo de vínculo precário. Portugal encontrava-se atrás da Espanha e da Polónia (com valores superiores a 25%) mas bastante acima da média europeia (14,4%). No terceiro trimestre de 2010 estimava-se que 54,6% dos trabalhadores por conta de outrem entre os 15 e os 24 anos possuísse um vínculo laboral desse tipo. Encontravam-se igualmente nessa situação 11,2% dos trabalhadores entre os 50 e os 64 anos [1].

A expansão dos contratos de trabalho temporário, que enquadram perto de 80 000 trabalhadores [2], e dos

---

[1] Dados disponibilizados pelo Observatório das Desigualdades (http://observatorio-das-desigualdades.cies.iscte.pt/index.jsp?page=indicators&id=207&lang=pt).

[2] MTSS, Quadros de Pessoal – 2008, MTSS, Lisboa, 2009, p. 124.

«falsos» recibos verdes, que podem abranger centenas de milhares de pessoas ([3]), assinala a transformação recente dos modelos de relação laboral. Estas formas de contratação não só impedem a distinção entre situações laborais diferenciadas como configuram formas organizadas de infracção à lei, protegidas pelo poder político, pouco interessado em clarificar a legislação e fiscalizar o seu cumprimento. A recente proposta de atribuição de subsídio de desemprego aos "falsos recibos verdes", conforme acordo celebrado entre o Estado português e a chamada *troika* ([4]), configura a legitimação de modelos laborais que deveriam ser objecto de perseguição por parte da Inspecção-Geral do Trabalho e de outras entidades responsáveis. Se juntarmos a estes casos, a situação dos desempregados e de uma parte importante de cidadãos não europeus que, mercê das leis restritivas de Schengen, constituem a face mais invisível (mas ao mesmo tempo a mais dura) da precariedade, podemos concluir que é cada vez maior o número de trabalhadores em Portugal que mantêm uma existência instável. Tal situação desestrutura a situação económica dos trabalhadores e de modo mais lato, a organização da vida quotidiana e impedindo os indivíduos de projectar o futuro com um mínimo de segurança e previsibilidade.

([3]) http://www.leicontraaprecariedade.net/

([4]) Constituída pelo Fundo Monetário Internacional, a União Europeia e o Fundo Europeu de Estabilidade Financeira.

Apresentada como um meio de racionalização da actividade económica e de fomento da produtividade, através da adaptação dos níveis de contratação aos níveis de produção, e consequente mitigação de uma suposta rigidez do mercado de trabalho, a «flexibilização» do emprego visa sobretudo reduzir os custos do factor trabalho, o que é visível nas diferenças de rendimento entre trabalhadores sob contrato permanente, não permanente e temporário [5]. A precariedade concorre para a criação de um «homem novo». Sob a ameaça do despedimento, o trabalhador é compelido a concentrar os seus esforços na dedicação à empresa. Legitimado por uma ciência económica dominante, que o anuncia como inevitável, este processo ocorre com a conivência e o enquadramento do poder político. Trata-se, portanto, de um projecto de engenharia social que visa, cada vez mais, colocar o trabalho ao nível de qualquer outra mercadoria e, nesta operação, reduzir a capacidade reivindicativa dos trabalhadores e sindicatos, estruturas que apresentam dificuldades na organização deste contingente de precários. A diferença dos vínculos origina a fragmentação das possibilidades de organização colectiva, acentuando clivagens entre categorias profissionais, incitando à concorrência entre colegas, quebrando a autonomia profissional,

---

[5] MTSS, Quadros de Pessoal – 2008, MTSS, Lisboa, 2009, p. 179

reforçando as pirâmides hierárquicas e as estratégias de servilismo.

Mais do que o resultado de um domínio de classe, estas mutações têm sido erradamente interpretadas como uma guerra entre gerações. Se é certo que é entre os jovens que estas configurações laborais precárias mais se manifestam, tal não se deve, como é muitas vezes argumentado, aos "privilégios" dos mais velhos, mas resulta simplesmente do facto de a generalização da precariedade ter atingindo, em primeiro lugar, aqueles que acabam de ingressar no mercado de trabalho. As possibilidades destes novos trabalhadores e de todos aqueles que em cada vez maior número ocupam posições fragilizadas no mercado de trabalho, se organizarem e constituírem uma força colectiva tendencialmente internacionalista, será um dos factores determinantes na evolução deste processo e na construção de uma nova correlação de forças, mais favorável aos trabalhadores.

Este livro procura analisar as transformações no mercado laboral, a partir das suas configurações concretas e do exame da diversidade das formas de incorporação ou exclusão de diferentes categorias sociais desse mesmo mercado. Procuramos assim analisar um processo generalizado mas que ocorre de modo diverso em diferentes contextos profissionais. As ferramentas de desestruturação do trabalho, adequando-se a lógicas particulares, definem-se em alguns casos pela modernidade dos

ENTRE A FÁBRICA E O *CALL CENTER*

métodos, assentes em sofisticados sistema de gestão organizacional; em outros, no entanto, prosseguem velhas práticas de precarização, típicas de universos empresariais menos desenvolvidos.

Procuramos, portanto, a partir deste conjunto de estudos de caso e dos quadros reais que o enformam, pensar o lugar do trabalho na sociedade contemporânea, procurando compreender as especificidades dos diferentes segmentos laborais, para além das utopias liberais e dos lugares comuns mediáticos que sustentam ideologicamente o processo de engenharia social em curso.

Neste primeiro volume de estudos sobre precariedade que organizamos com base em diversas colaborações com o *Le Monde Diplomat* optámos por nos concentrar no modo como a desregulação contratual tem afectado trabalhos que ocupam um lugar subalterno, pelo nível de retribuição material e pela desqualificação simbólica na estrutura das profissões. Um segundo volume versará a transformação dos vínculos laborais noutras áreas profissionais. Depois dos dois textos iniciais, de natureza teórica, focamo-nos nos casos das empregadas domésticas, dos trabalhadores da construção civil e dos *call centers,* dos empregados das grandes superfícies comerciais, dos operários do Vale do Ave e do Vale do Sousa e na situação laboral dos imigrantes. A precariedade constitui um fenómeno transversal à generalidade da estrutura das ocupações. De fora da nossa análise ficaram objectos de estudos susceptíveis de serem integrados neste volume: dos baixos salários praticados pelas indústrias hoteleiras ao emprego temporário nas grandes explorações agrícolas de vinha e de oliveira; do árduo e arriscado labor realizado nas pescas, ao trabalho das prostitutas. Estes artigos situam o problema da precariedade, recuperando as situações concretas de vida e suas dinâmicas contextuais. Partem todos de trabalhos realizados pelos autores no terreno. Sem o seu olhar atento e a sua determinação teria sido impossível construir este livro. Num contexto universitário em que o estudo das questões do trabalho tende a envolver-se cada vez mais com as questões dos recursos humanos e do aumento da produtividade, tendência que se pode vir a acentuar nos próximos anos, desejamos também mostrar neste volume investigações que optarem para olhar para o trabalho a partir de perspectivas diferentes.

José Nuno Matos,
Nuno Domingos
e Rahul Kumar.

AS FACES PRECÁRIAS
DA FLEXIBILIDADE

Por ANA MARIA DUARTE (*)

A flexibilidade aparece, nas últimas décadas, como um dos principais vocábulos e instrumentos de «modernização» das empresas. As apreciações dominantes sobre a evolução do trabalho apresentam-na como a expressão de uma necessidade histórica, capaz, só ela, de libertar o trabalho da «rigidez» que esteve na base da crise do modelo de produção e de consumo taylorista-fordista. O argumento fundamental passa por se afirmar que, nas condições actuais de globalização dos mercados, de acréscimo da competitividade e de desenvolvimento de novas tecnologias da informação e da comunicação, a viabilidade das economias (e das empresas) dependerá da capacidade dos seus agentes para introduzirem agilidade e

---

(*) Socióloga e investigadora do Centro de Investigação em Ciências Sociais (CICS), Universidade do Minho.

elasticidade nos processos produtivos, no sistema organizacional e no sistema de emprego, de forma a conseguir-se uma sincronização instantânea da produção e do consumo. A flexibilidade tende, assim, a surgir, para empresários e governantes, como a solução para as dificuldades económicas e sociais com que a maior parte dos países europeus se defronta (quebra de crescimento económico, desemprego maciço, etc.).

O sucesso do tema não pode, entretanto, ser dissociado da construção em seu torno de uma verdadeira ideologia [1], preconizada pela perspectiva económica (neo)liberal que assim procura legitimar um conjunto heterogéneo de transformações, algumas das quais com significado bastante diverso daquele que é amplamente propalado. De imperativo económico e necessidade incontornável, a flexibilidade transmuta-se discursivamente numa essência e num ideal dos tempos actuais. Deixa de ser apenas um meio de garantia da competitividade e passa a adquirir um estatuto de crença, sendo encarada, sob todas as suas formas, e por natureza, como positiva e fonte de eficácia económica.

---

[1] Ver, por exemplo, Luc Boltanski e Eve Chiapello, *Le Nouvel esprit du capitalisme*, Gallimard, Paris, 1999. Para estes autores, o tema da flexibilidade, juntamente com outros, tais como a autonomia, os projectos, a competência e o desenvolvimento pessoal, é um dos pilares fundamentais de uma «nova configuração ideológica do capitalismo».

ENTRE A FÁBRICA E O *CALL CENTER*

Ora, esta elaboração quase mitológica da flexibilidade necessita ser questionada. Primeiro, porque não é possível falar em flexibilidade como um conjunto de práticas homogéneas, que se moveriam no mesmo sentido e partilhariam o mesmo significado. Não existe uma definição inequívoca de flexibilidade. Trata-se de uma noção extensa [2] que pode abarcar ou remeter para aspectos tão diversos como o enfraquecimento das estruturas hierárquicas, a polivalência e a rotação de tarefas *(flexibilidade funcional ou organizacional)*; a diversificação e imprevisibilidade dos horários de trabalho e a individualização dos salários *(flexibilidade temporal ou financeira)*; a mobilidade geográfica e a subcontratação *(flexibilidade produtiva ou geográfica)*; e as novas formas de emprego, como o trabalho temporário, o trabalho a termo certo, etc. *(flexibilidade numérica ou contratual)*. Na prática, existem complementaridades e sobreposições entre estas diferentes formas e os empregadores têm-nas utilizado, umas

---

[2] Por isso uma das formas mais usuais de a analisar tem sido através da construção de tipologias, como a que aqui utilizamos e nos é proposta por Anneke Goudswaard e Mathieu Nanteuil, *Flexibility and Working Conditions. A Qualitative and Comparative Study in Seven EU Member States. A Summary*, European Foundation for the Improvement of Living and Working Conditions, 2000. Para um maior desenvolvimento da questão ver Ana Maria Duarte, «Trabalho, Flexibilidade e Precariedade no Contexto Europeu: Precisões Analíticas e Evidências Empíricas», *Cadernos de Ciências Sociais*, n.º 25-26, Junho de 2008, pp. 7-54.

mais do que outras, para reduzir custos, em particular os custos de trabalho, transferindo os riscos para os trabalhadores e para as empresas subcontratadas.

Por outro lado, é importante questionar a noção idealizada de flexibilidade, porque as situações e práticas que em seu nome são implementadas não têm necessariamente consequências positivas para os trabalhadores nelas envolvidos. Aliás, sem afastar a possibilidade de existirem aspectos positivos na flexibilidade – porque são várias as suas faces – a questão que aqui queremos realçar é a de que ela encerra em si mesmo contradições e limitações geradoras de novas formas de insegurança, de injustiça e de sofrimento no mundo do trabalho.

Isto acontece, desde logo, porque as actuais práticas de flexibilidade são baseadas dominantemente em esquemas de flexibilização numérica e temporal, recorrendo-se muito pouco à flexibilidade funcional. Ou seja, para ajustarem os níveis de emprego às necessidades da produção e do mercado, as empresas têm recorrido, de forma estrutural, aos despedimentos e às modalidades de emprego ditas «atípicas», registando-se uma expansão considerável do trabalho temporário, dos contratos a termo, do trabalho a tempo parcial e do «trabalho independente». Se não, vejamos: ainda que com situações diferenciadas nos vários países, na Europa dos 15, a proporção de trabalhadores com contratos a termo era, em 2007, de 14,8 por cento. Portugal é, àquela data, o segundo país com mais trabalhadores com contratos a termo (22,4 por cento), logo a seguir a Espanha, e aquele onde se observou o maior aumento entre 1992 e 2007 (*Employment in Europe*, 2008*)*. A principal razão pela qual a maioria das pessoas tem um trabalho temporário é o facto de não conseguir encontrar um emprego permanente. A situação é maioritariamente vivida como um constrangimento e não como uma opção, e agrava-se na geração dos mais velhos.

Solidariedades estilhaçadas

Também no âmbito de um estudo numa empresa industrial, pudemos constatar esta mesma progressão dos contratos a termo, a par com uma redução significativa de trabalhadores permanentes. Passa-se de uma situação, em 2002, em que o número de contratados a termo era irrelevante (3 em 600) para uma percentagem de 16 por cento dos efectivos em 2005 (cerca de 100 trabalhadores). A estes juntam-se 53 temporários (recrutados através das agências de trabalho temporário) e um número também crescente de subcontratados. Tal tem conduzido a uma segmentação no interior da fábrica entre trabalhadores efectivos e trabalhadores com estatutos precários, fazendo com que antigas solidariedades sejam estilhaçadas e projectos colectivos em torno de problemas laborais sejam inviabilizados, como aconteceu com o caso das paralisações da produção em 2006, promovidas pela Comissão de Trabalhadores contra as discriminações salariais. Tiveram uma fraca adesão e não contaram, como já era esperado, com a participação dos contratados e dos temporários, que, receosos de represálias, não quiseram comprometer perante a administração a sua expectativa de uma contratação permanente.

Estes trabalhadores, ao entrarem de forma maciça na empresa ao mesmo tempo que dezenas de antigos trabalhadores são afastados, tendem a ser encarados pelos «da casa» como uma ameaça. Além de se encontrarem numa situação incerta quanto ao seu futuro profissional, com menores níveis salariais e menor protecção social, sujeitos a níveis elevados de rotatividade (entram e saem sucessivamente na empresa), defrontam-se ainda com atitudes de desconfiança e menosprezo. Por mais de uma vez, pudemos observar situações de «boicote» à realização do seu trabalho, através, por exemplo, da não cedência de material e de equipamentos de protecção e da recusa a pedidos de ajuda.

Os conflitos e tensões entre efectivos e temporários são notórios e manifestam-se quotidianamente nas relações de trabalho e nos discursos. Uma das imagens construídas em torno dos temporários é a que os representa como «marmoristas», pessoas cujas qualificações e experiência profissional são desajustadas da função e, por isso, não sabem fazer o trabalho. São percebidos como vindo para a empresa *«para açambarcar, utilizam a farda, comem na cantina e nós ainda temos que fazer o trabalho deles»* [3]. Os contratados e os temporários estão sujeitos a uma avaliação permanente, por parte dos colegas efectivos, mas também das chefias, para serem seleccionados e distinguidos os que se revelem «bons trabalhadores». Assegura-se, assim, uma regulação dos comportamentos, imprimindo-lhes docilidade e respeito. Deste modo, eles sujeitam-se e aceitam regras que noutro contexto rejeitariam. É o caso do Acordo de Flexibilidade do Horário de Trabalho. Depois de ter sido rejeitado pela maioria dos trabalhadores, a estratégia da empresa passou por colocar como condição à contratação de alguns temporários e à renovação dos contratos a termo a assinatura do Acordo, conseguindo desta forma intimidatória e individualizada o que não conseguiu colectivamente.

Na nova ordem produtiva da fábrica, os subcontratados são outra das figuras emblemáticas da precariedade. Nesta empresa são cada vez mais as actividades e tarefas realizadas por empresas exteriores (exemplo: colocação de pavimentos, cablagens, ar condicionado). Estas, com pouca margem de manobra e fraco poder negocial, acabam por precarizar as relações laborais dos seus

---

[3] Palavras de um trabalhador efectivo.

trabalhadores. Muitos deles não beneficiam de qualquer vantagem particular por parte da empresa subcontratante, não têm estabilidade de emprego e aceitam trabalhar sob condições de trabalho e salariais muito degradadas. De entre os que colocam pavimentos, por exemplo, alguns não têm qualquer contrato e não dispõem de materiais de protecção e segurança indispensáveis. Muitos se queixavam de não usarem, como deviam, joelheiras, e de terem de estar sempre disponíveis para responder a chamadas do «patrão» para trabalhos imprevistos.

Mas a precariedade laboral não resulta só de práticas de flexibilidade numérica, nem é apanágio apenas dos trabalhadores com contratos precários. Estende-se ao conjunto de trabalhadores efectivos, que experienciam uma degradação das condições de exercício do trabalho e um agravamento dos sentimentos de insegurança, de medo e de angústia. A estabilidade do contrato já não funciona como garantia de estabilidade do emprego, quer objectiva quer subjectivamente. Na empresa que estudámos, os trabalhadores vêm perdendo um conjunto de regalias associadas ao emprego. Desde 2002, ano em que se constitui como *joint-venture*, que deixaram de ter aumentos salariais significativos e de receber o 13.º mês. Com falta de encomendas e um passivo avultado, recorreu-se ao *lay-off*, tendo os trabalhadores que compensar posteriormente as horas não trabalhadas. Procedeu-se à substituição e rotação de chefias e directores. Após alguma recuperação do nível de actividade, assiste-se ao recrutamento de temporários em simultâneo com a saída de antigos trabalhadores e ao lento acabar das horas extraordinárias, que constituíam para muitos um complemento ao salário «modesto».

Ameaça constante de encerramento

Tudo isto, juntamente com a ameaça constante por parte da administração de que a empresa poderá encerrar a qualquer momento se não cumprirem os objectivos estipulados, se não concordarem com a flexibilidade horária, se não adoptarem novos ritmos de trabalho – mais intensos –, faz com que aumente a pressão temporal e de resultados e que a fadiga, o *stress* e a angústia invada os trabalhadores. Alguns deles, socializados em antigas normas de trabalho, sentem-se incapacitados para lidar com estes novos modos de funcionamento da fábrica, que os «aperta», que, sob o lema «mais do que vestir a camisola da empresa, deve cada um vestir a sua», os obriga a trabalhar mais e a serem mais produtivos. Vergados pela flexibilidade, uns acabam por desistir e sair da empresa por sua própria iniciativa, outros são forçados a fazê-lo, com rescisões amigáveis.

Por outro lado, nesta empresa, tal como se passa a nível geral, tende-se a exigir cada vez mais aos trabalhadores uma disponibilidade e dedicação total à empresa e ao trabalho, expropriando-lhes o tempo dedicado à família e ao descanso, sem quaisquer contrapartidas em termos de meios de participação nas decisões.

Importa ainda falar do trabalho a tempo parcial. Embora não esteja presente no caso da empresa referida, esta é outra forma de emprego precário que tem vindo a crescer na Europa (de 14,2 por cento em 1992, para 20,9 por cento em 2007), sobretudo no grupo das mulheres. A menor expressão registada no nosso país (apesar do significativo aumento de 7, 2 por cento para 12,1 por cento naquele período) precisa de ser relativizada, já que o peso da economia informal é considerável e existe um grande número de trabalhadores com um segundo emprego remunerado. Outro dado importante é que em Portugal, tal como nos outros países do Sul, as mulheres trabalham a tempo parcial numa base involuntária, porque não encontraram um emprego a tempo inteiro, sujeitando-se a trabalhar menos horas do que as que pretenderiam e a receber salários também parciais, ao contrário das mulheres do Norte da Europa, onde a existência de vantagens e direitos sociais as encorajam a optarem pelo tempo parcial, sobretudo para poderem cuidar das crianças e adultos dependentes ou para frequentarem actividades formativas. O tempo parcial das mulheres portuguesas está, assim, longe de ser uma escolha para possibilitar a «conciliação entre vida profissional e vida familiar», como apontam os defensores da flexibilidade. O caso das empregadas de caixa dos supermercados é paradigmático: estas predispõem-se a aceitar horas extraordinárias e a trabalhar segundo horários pouco previsíveis, fraccionados e situados à margem da temporalidade social dominante à custa de uma vida social e familiar desmantelada [4].

---

[4] Ver, por exemplo, Nathalie Cattaneo, «Précarités et travail à temps partiel des femmes, le exemple des caissières d'hypermarché», in Béatrice Appay e Annie Thebaud-Mony, *Précarisation sociale, travail et santé*, IRESCO-CNRS, Paris, 1997, pp. 331-340.

DESEMPREGO:
A POLÍTICA PARA LÁ DO TRABALHO

Por JOSÉ NUNO MATOS (*)

Olof Palme, antigo primeiro-ministro sueco e expoente da social-democracia europeia, afirmou uma vez que «quem trabalha tem direito a influenciar a democracia» [1]. Se, numa primeira leitura, podemos interpretar tal sentença como uma evocação dos direitos do povo trabalhador, uma análise mais depurada revela-nos outras duas ideias: em primeiro lugar, que aos trabalhadores resta apenas influenciarem a democracia, e não determiná-la – uma contradição nos termos utilizados –; e, em segundo lugar, que os assuntos da *polis* se encontram vedados a todos os que não trabalham. Frases como esta – que facilmente poderiam sair da boca de um dirigente sindical –

_____

(*) Doutorando. Bolseiro da FCT em Sociologia (ICS-UL)

[1] José Luís Jacinto, *O Trabalho e as Relações Internacionais*, ISCSP, Lisboa, 2002, p. 352.

ilustram bem o imaginário social dominante em torno da questão do (des)emprego.

Vivemos actualmente numa sociedade baseada no emprego sem que, no entanto, este seja garantido. Segundo Dominique Meda, encontramo-nos perante um fenómeno «eminentemente paradoxal: a produtividade do trabalho aumentou consideravelmente desde há um século, e em particular a partir da década de 50; somos hoje capazes de produzir cada vez mais com cada vez menos trabalho humano» [2]. Porém, a vida humana é sujeita a um enquadramento que tem como base o trabalho, visando uma optimização económica das suas capacidades cognitivas, sentimentais e até corporais. Perante este processo, quando uma pessoa está desempregada é como se aparentemente todo o seu ser não tivesse qualquer propósito social.

O Estado-Providência foi construído mediante a imposição do pleno-emprego como principal ditame de uma política de desenvolvimento económico. Entrámos assim na era do emprego, pedra basilar da cidadania, uma vez que é sobre ele que assenta «a participação de cada um numa produção para a sociedade e, portanto, para a produção da sociedade» [3]. Contudo, se inicialmente a

---

[2] Dominique Meda, *O Trabalho: um valor em vias de extinção*, Fim de Século, Lisboa, 1999, p. 19.

[3] Robert Castel, *Les Métamorphoses de la Question Sociale*, Fayard, Paris, 1995, p. 452.

ENTRE A FÁBRICA E O *CALL CENTER*

ideia de «trabalho para a vida» parecia atrair a população ocidental (dilacerada por duas guerras mundiais), cedo se tornaram notórios os seus efeitos desastrosos sobre a produção. A mecanização da conduta humana, realizada através da cíclica repetição de horários, ritmos e gestos, provocava uma enorme fadiga física e psicológica no operário, prejudicando os resultados das empresas. A revolta contra a disciplina da fábrica, durante a década de setenta, levou o capital a reformular as bases da sua actividade, apostando na introdução de novas tecnologias, manejadas por (cada vez menos) operários semiautónomos.

A par destas reformas, assistiu-se a nível nacional a uma redefinição do papel do Estado – menos social, mais securitário – e, a nível internacional, à edificação de algo que se assemelha a um mercado mundial, visível na facilitação das trocas comerciais entre países e da deslocalização de unidades produtivas. Estes factores alteraram significativamente o estatuto do empregado, tendo-se verificado despedimentos em massa (nomeadamente nas indústrias dependentes de mão-de-obra menos qualificada) e o aparecimento de novas formas contratuais de trabalho, antípodas da ideia de emprego para toda a vida. Destruía-se assim a sólida relação entre empregado, empresa e sociedade. Diversos autores encaram o desemprego como um elemento fracturante da identidade dos trabalhadores, retirando-lhes a capacidade de exercer uma actividade, desenvolver relações sociais, contribuir para o funcionamento da sociedade. De acordo com Dominique Schnapper, «aqueles que, nos dias de hoje, já não participam através do emprego na actividade produtiva podem viver esta condição na passividade, encontrando-se condenados a sofrê-la; fazem, pois, a experiência de uma dessocialização progressiva e interiorizam mesmo, em certos casos, a estigmatização, sob formas concretas variáveis, dimensões ligadas a esta condição nas sociedades organizadas em torno da produção» [4].

A ausência de emprego acaba por traduzir-se num sentimento de indignidade, em parte reforçado pelo discurso institucional ante o desempregado, que o vê ou como a vítima incapaz de ultrapassar o problema ou como o vigarista usurpador do erário público. Todavia, e não querendo diminuir o sofrimento inerente à condição de desempregado, parece-nos que este sentimento tende a ser essencialmente motivado pela ausência de uma fonte de rendimento. Se compararmos a situação do desempregado com a do reformado, constatamos que, enquanto no caso deste último o abandono do trabalho vem abrir todo um leque de actividades a realizar

---

[4] Dominique Schnapper, *A Compreensão Sociológica*, Edições Gradiva, Lisboa, 2000, pp. 131 e 132.

ENTRE A FÁBRICA E O *CALL CENTER*

(porque se dispõe de uma reforma) (⁵), no caso do desempregado passa-se a exercer o trabalho de procurar trabalho (procurar anúncios nos jornais e na Internet, inscrever-se em empresas de trabalho temporário, enviar currículos, ir a entrevistas, comparecer às acções de formação do centro de emprego) (⁶). Como tal, o problema não parece residir na ausência de uma fonte de identificação social ou mesmo de uma necessidade de se sentir útil ou produtivo, mas no facto «de a plenitude dos direitos económicos (o direito à plena remuneração), sociais (direito à protecção social) e políticos [...] permanecer ligada aos [...] empregos, cada vez mais raros, ocupados de modo regular e a tempo inteiro» (⁷). Ao encararmos a cidadania não só a partir de uma perspectiva civil e política (relativa à posse de liberdades políticas e direito

---

(⁵) É importante referir que não só a reforma poderá gerar efeitos contrários aos acima descritos, como depressão, tédio e sentimento de inutilidade, como o tipo de actividades que se poderão realizar dependem directamente do valor da pensão de reforma.

(⁶) Schnapper, ao analisar o fenómeno social do desemprego, propõe o conceito de desemprego invertido: «os jovens desempregados, em geral de nível cultural elevado, que não conhecem verdadeiras dificuldades financeiras, escapam com felicidade à tirania das "quarenta horas" ou das "oito horas por dia" [...] e às exigências dos horários de escritório, se regozijam por dispor dos tempos livres necessários para se entregarem às delícias da criação artística», Schapper, *op. cit.*, pp. 138 e 139.

(⁷) André Gorz, *Miséres du présent, Richesse du possible*, Éditions Galilée, Paris, 1997, p. 108.

ao sufrágio), mas também social – determinada pelo acesso a um conjunto de bens e serviços de necessidade básica –, podemos concluir que existem fortes possibilidades de um desempregado não usufruir das condições imprescindíveis ao exercício da cidadania.

Os desempregados ao ataque

Tomas Hamar, ao analisar a situação dos imigrantes na Europa, propôs o conceito de *denizen*, identificando nesta categoria todos os não-nacionais com autorização de residência ou com vistos de trabalho, mas sem direitos políticos. Sendo a cidadania o resultado de uma multiplicidade de factores interdependentes, a inexistência de um destes leva directamente ao não funcionamento do todo, alargando-se assim o universo dos *denizens* – pessoas incapazes de assumir a condição cidadã –, nos quais devemos incluir, entre outro grupos, os sem-emprego. A propósito deste fenómeno, Giorgio Agamben leva-nos ainda mais longe ao defender que esta situação não terá necessariamente que resultar de uma imposição, mas sim de uma vontade. Na sua visão, «os cidadãos dos Estados industriais avançados [...] demonstram, através de uma crescente deserção das codificadas instâncias de participação política, uma evidente propensão para se tornarem *denizens*, permanentes residentes não cidadãos» [8]. Tradicionalmente, a população activa desempregada é considerada passiva e anómica, sendo «difícil adoptar um comportamento militante a partir de uma identidade negativa, não sendo a humilhação vivida pelos desempregados, a maior parte das vezes favorável a um comprometimento político» [9]. Porém, não obstante todos os constrangimentos, existem indícios de que o desemprego – enquanto crise da cidadania institucional – poderá funcionar como uma oportunidade para a acção política. As marchas europeias contra o desemprego, protagonizadas por várias associações e grupos políticos, entre os quais grupos de desempregados, são deste facto uma prova viva. As greves de 1995 em França tornaram visíveis uma série de movimentos de excluídos – como o *Agir Essemble Contre le Chômage* (AC), o *Mouvement National de Chômeurs et Précaires* (MNCP), o *Droit au Logement ou o Comité des sans-logis* (Comité dos Sem-Abrigo) – que participaram em manifestações contra a política do então primeiro-ministro Alain Juppé e se solidarizaram com movimentos grevistas. O sucesso parcial alcançado levou estes agrupamentos a considerar a hipótese de alargarem a iniciativa para lá das fronteiras francófonas. Em 1997, várias forças europeias

---

[8] Giorgio Agamben, *Means Without End*, University of Minnesota, Londres, 2000, p. 23.

[9] Schapper, *op. cit.*, p. 139.

PRECÁRIOS EM PORTUGAL

organizaram uma marcha contínua contra o desemprego que passou por vários países – juntando milhares de empregados e desempregados –, culminando em Amesterdão (local de reunião da Conferência Intergovernamental), onde se manifestaram cerca de 50 000 pessoas.

A grande relevância desta mobilização residiu no seu cariz transnacional, assumindo os objectivos de lutar contra o desemprego – um fenómeno estrutural em grande parte da União Europeia – e de construir «uma Europa social, mais democrática, ecológica e feminista» ([10]). No entanto, ao movimento que se ergueu faltou-lhe um projecto crítico e positivo – uma das poucas reivindicações originais foi a de um rendimento universal garantido a todas as pessoas, separando-se assim a esfera da cidadania da esfera do trabalho –, reduzindo-se os seus actos «ao lastimável desejo de que, se Deus quisesse, tudo continuaria de algum modo como antes» ([11]). Deste ponto de vista, podemos afirmar que a acção dos desempregados na Argentina constitui uma realidade mais próxima de um movimento social genuíno. A crise económica verificada na Argentina no ano de 2001 teve como resposta uma movimentação geral, quer em termos de luta

---

([10]) Cristophe Aguiton, «A luta contra o desempregado», em AAVV, *Essas outras histórias que há para contar*, Edição conjunta Salamandra, Associação Abril em Maio, SOS Racismo, Lisboa, 1998, p. 114.

([11]) Robert Kurz, «Os últimos combates», p. 8, http://obeco.planetaclix.pt/rkurz59.htm.

social e ataque às instituições, quer no que respeita ao sustento e satisfação das necessidades mais básicas. Entre os seus protagonistas, incluíam-se os *piqueteros* [12], grupos organizados de trabalhadores desocupados que, impedidos de recorrer à greve, bloqueavam estradas e vias de comunicação. Como explica Carlus Jové, «os desocupados argentinos observaram as três fases que atravessa um produto no mercado capitalista e decidiram que havia uma sobre a qual podiam incidir de forma contundente: a distribuição. Se aplicassem a mesma metodologia que se utiliza numa greve [...] e a passassem para as estradas onde necessariamente tinham que circular os camiões que distribuíam as mercadorias, podia-se bloquear este aspecto vital da economia» [13].

As tácticas eleitas, a sua organização multiforme e horizontal, a sua interconectividade com outros movimentos activos na revolução argentina de 2001 – fábricas ocupadas, assembleias de bairro, grupos de troca de bens e serviços, sindicatos, associações de mães de

---

[12] Existem várias organizações *piqueteras*, como a Federación Tierra y Vivienda (vinculada à central sindical CTA), a Corrente Classista e Combativa (com ligações ao partido maoísta PCR), o Polo Obrero (vinculado ao Partido Obrero), o Movimento Territorial de Libertação e o MST Terra Vive (ligados ao Partido Comunista), e finalmente, a Coordenadora Aníbal Véron e os Trabalhadores Desocupados de Neuquén, autónomos.

[13] Carlus Jové, *Argentina: crise e revolta*, Centro de Media Independente, Porto, 2005, p. 41.

desaparecidos e vítimas da ditadura militar –, assim como a radicalidade do seu discurso denunciam uma estratégia política ampla e ambiciosa, para lá dos limites do Estado e da democracia representativa. O modo de administração dos subsídios de desemprego – os *planes trabajar* – é deste facto um claro exemplo, tendo a gestão *piquetera* aplicado os fundos na edificação de uma economia comunitária e alternativa ao mercado. Como refere Graciela Hopstein, «os membros desta organização "não procuram trabalho": os esforços são dirigidos com vista à construção de uma comunidade e de uma economia autogerida, caracterizada pela presença de diversas micro--actividades. Para o movimento, a luta não implica apenas a invasão e bloqueamento das estradas e a luta contra a polícia, com o fim de obter mais subsídios do Estado. Trata-se igualmente de incorporar novas formas de acção a partir da criação de relações de produção e de associação solidárias, colectivas e comunitárias» [14].

Da crítica do desemprego à crítica do trabalho

A crítica ao desemprego tem que passar inevitavelmente pela crítica ao trabalho. Não basta apenas advo-

---

[14] Graciela Hopstein, «Piqueteros: limites et potentialités», p. 3, http://multitudes.samizdat. net.

gar melhores salários por menos horas, deixando incólume a própria ideia de trabalho assalariado, base de uma sociedade que elegeu a produtividade como fim último. Independentemente das consequências.

Devemos recordar que o movimento operário nasceu junto com a ideia de superação do trabalho e que apenas através desta podemos ambicionar uma vida em que a relação entre existência e sobrevivência se encontre fortemente desequilibrada a favor da primeira. A resposta à crise da cidadania deve assim basear-se na reivindicação de uma outra cidadania, activa e participativa na gestão dos assuntos que nos dizem directamente respeito. Para que esta, parafraseando Sandro Mezzadra, possa tornar-se «não uma ilusão doméstica, mas antes um espaço de conflito» [15].

---

[15] Sandro Mezzadra, *Derecho de fuga: Migraciones, ciudadanía e globalización*, Traficantes de Sueños, Madrid, 2005, p. 178.

CONSTRUÇÃO CIVIL: PRECARIEDADE E RISCO CRESCENTE DE EXCLUSÃO

Por **MARIA CIDÁLIA QUEIROZ** (*)

Desde sempre o sector da construção civil evidenciou uma permeabilidade peculiar à expansão das chamadas formas flexíveis de trabalho, muito em particular da informalidade. Nele se conjugam vários factores favoráveis a essa permeabilidade, tais como a fraca propensão à industrialização dos processos produtivos, a sazonalidade da produção, a escassa regulação da actividade empresarial e da constituição das empresas, o domínio dos promotores imobiliários, o fácil acesso ao financiamento e a concorrência de empresas que, graças a uma legislação altamente permissiva, podem lançar-se na produção apesar de não possuírem assalariados nem demonstrarem deter uma qualquer estrutura empresarial.

(*) Docente na Faculdade de Economia da Universidade do Porto.

De uma tal articulação de circunstâncias decorre que este campo de produção tenha, desde sempre, sido dominado por uma competição desregulada que impulsionou o recurso à informalidade e à imposição de condições de trabalho retrógradas, pelo menos se considerarmos as margens de submissão, insegurança e dureza das condições de vida e desvalorização simbólica que impõem aos assalariados, em especial aos operários. Na realidade, a sobrevivência de muitas empresas, eventualmente mais predispostas a consolidar uma organização reprodutível a longo prazo e a assumir a sua responsabilidade social perante os seus assalariados, está aqui severamente dificultada pela lógica de competição desenfreada que pressiona no sentido de uma apertada contenção dos custos de produção.

Todavia, apesar dessa constelação aparentemente tão retrógrada de factores, é possível constatar que o trabalho operário neste campo de actividade representou, durante algumas décadas, uma certa possibilidade de mobilidade social ascendente para os jovens originários do mundo rural. Há mais de dez anos, a análise das identidades profissionais dos operários da construção civil do Noroeste de Portugal forneceu-nos a oportunidade de observar que as particularidades dos contextos de trabalho e dos contextos familiares e residenciais destes operários se combinavam a ponto de impedir que a precariedade do emprego se traduzisse num enfraquecimento da integração social pelo trabalho e das identidades profissionais.

A precariedade vivida como oportunidade

Havíamos concluído, então, que em termos de integração profissional, os operários da construção civil se aproximavam, em certos aspectos, do tipo que Serge Paugam [1] designa pela expressão integração incerta, em que a instabilidade do emprego não destrói forçosamente as possibilidades de realizar aprendizagens qualificantes e de obter satisfação e realização profissionais. Nesta perspectiva, a integração incerta corresponde à situação dos trabalhadores que não usufruem de estabilidade do emprego, mas encontram, no seu contexto de trabalho, outras vantagens que fundamentam a sua implicação e identificação, designadamente o clima relacional com os colegas e/ou os superiores e a possibilidade de adquirir e demonstrar competências que aumentam significativamente o poder de negociação no mercado de trabalho.

Por comparação com outros grupos socioprofissionais, identificados por Paugam, também eles vulneráveis à

---

[1] Serge Paugam, *Le Salarié de la précarité. Les nouvelles formes de l'intégration professionnelle*, Presses Universitaires de France, Paris, 2000.

precariedade dos vínculos contratuais, tais como os membros das profissões intermediárias e quadros superiores que tiram partido da ligação instável ao mercado de trabalho para enriquecer o seu currículo, permanecendo numa carreira assalariada, estes operários da construção civil podiam percepcionar a precariedade dos vínculos laborais como um meio de resistência à proletarização. A sua ligação à terra, a socialização numa cultura tradicional, tal como a posse de um conjunto alargado de saberes profissionais que tornam plausível um projecto de criação do próprio negócio foram, desde sempre, características que fizeram deste operariado pluriactivo um grupo escassamente politizado e com fraca predisposição para captar a relação entre o capital e o trabalho em termos de conflito de interesses. A precariedade tende a não ser subjectivamente vivida, nestes contextos sociais tradicionais, como imposição ilegítima que compromete, e muito, as condições de existência, presentes e futuras, de quem vive apenas do seu salário.

A insegurança que tende a afectar, cada vez mais, o planeamento do presente e do futuro da grande maioria dos assalariados não é/era tão ameaçadora no caso destes operários, precisamente por ainda conservarem alguns meios de produção compatíveis com a obtenção de rendimentos próprios, na condição de pequeno patrão ou trabalhador por conta própria, em conjugação com o assalariamento, tirando partido da fraca formalização das condições de acesso ao exercício de uma actividade empresarial neste campo de actividade. Além destas condições, que os preservam de serem completamente desapossados de meios de produção autónomos, há que referir a sua condição de proprietários de uma pequena parcela de terreno ou de rendeiros que, nesta região de industrialização difusa, ainda é um recurso para resistir à incerteza e à insegurança, ao mesmo tempo que motiva o fortíssimo empenho na criação de um pequeno património familiar. É esse desejo, e possibilidade objectiva, de ir criando, a pulso, um pequeno património que explica a sua forte predisposição para, submissa e tacticamente, se adaptarem às mais variadas estratégias de «flexibilização» adoptadas pelas empresas, mesmo que estas impliquem sacrifícios pesados.

A forte expressão de pequenas empresas organizadas segundo princípios que relevam da lógica artesanal, assim como a dificuldade de transferir todas as competências dos ofícios para o sistema técnico das empresas, mesmo as de média e grande dimensão, configuram duas condições que potenciam reais oportunidades de permanência de postos de trabalho ricos e complexos, com características que desde sempre os preservaram da organização taylorista da fábrica. A escassa expressão das tarefas fragmentadas, rotineiras e repetitivas que se expandiram com a industrialização dos processos produtivos permitiu que neste campo económico se conservassem oportunidades de aprender e adquirir saberes processuais e saberes-fazer compatíveis com trajectos de progressão profissional e com alguma ascensão social, devido à possibilidade de utilizar esses saberes, aprendidos no próprio trabalho, em actividades por conta própria ou, como acima se disse, como pequeno patrão.

A relação de continuidade entre a cultura camponesa e artesanal de numerosos operários da construção e os universos culturais dos estaleiros contribuía activamente para que a informalidade das relações de trabalho não fosse apercebida por aqueles que a sofriam como uma desigualdade inaceitável, chegando antes a ser perspectivada como uma resposta adequada ao que era frequente considerar como uma extorsão ilegítima de uma parte do salário pelo Estado. De facto, a referida persistência de economias familiares fundadas sobre a propriedade ou a posse da terra de numerosos operários da construção civil é, provavelmente, o factor que melhor permite compreender a sua não oposição política à posição dominada nos processos de produção para que são remetidos, dando, antes pelo contrário, sinais de conformismo acrítico a respeito das lógicas de exploração e de dominação que sobre as suas vidas pesam. Investir em estratégias de conservação e, mesmo, de amplificação de uma «independência» apercebida como gratificante é uma motivação a que tenazmente se agarram muitos homens que, apesar de não terem passado longos anos na escola, puderam apropriar-se de saberes valiosos que lhes permitem ambicionar algum controlo sobre as suas próprias vidas. A penetração das relações de produção capitalistas e a perda total de controlo sobre os instrumentos de trabalho tendem, entre estes operários, a ser percepcionados como uma espécie de morte social e como privação insuportável de importantes objectos de investimento afectivo, donde decorre a predisposição para viverem a sua condição salarial precária com uma certa exterioridade. A proliferação da subcontratação, do contrato de duração determinada, dos empregos clandestinos não é apercebida como evidência de uma sobre-exploração. A sua predisposição para aceitar os ritmos e condições de trabalho francamente exorbitantes que a combinação entre salariato e actividades independentes envolve só é compreensível se os observarmos no contexto social de que são originários, que o mesmo é dizer no seio das fortes redes de sociabilidade familiar e de uma cultura de valorização do trabalho manual, da disciplina e do investimento voluntário de esforços na realização das tarefas. A sua predisposição para suportar o longo e exigente processo de aprendizagem dos saberes de ofício, designadamente em termos de obediência, submissão, humildade, esforço e diferimento da satisfação no tempo, foi forjada num contexto social cuja reprodução se vem tornando progressivamente menos provável.

Divórcio entre socialização escolar e profissional

Parte dos elementos deste sistema estão hoje abalados, a ponto de a possibilidade de retirar vantagens da flexibilidade da relação salarial na construção civil e obras públicas estar a deixar de constituir uma regularidade entre a mão-de-obra operária do sector.

A força da socialização pré-profissional na tradição rural e artesanal está, desde logo, posta em causa, designadamente pelo prolongamento da escolaridade obrigatória. Mesmo que não providencie o acesso aos diplomas que melhor permitem enfrentar mercados de trabalho cada vez mais competitivos, verdade é que a socialização escolar contrasta fortemente com a natureza da disciplina e os modos de aprender requeridos pela cultura do ofício. Eleva as aspirações das jovens gerações num sentido bem menos favorável à produção de produtores, predispostos a suportar pesados sacrifícios no presente com vista à conquista da sua independência, do que à de consumidores. A escola contribui para a destruição dessa cultura da perseverança em que se forjam as predisposições para diferir satisfações no tempo, para não sucumbir ao desejo e valorizar o esforço, para, enfim, enfrentar criativamente uma longa espera na mira de uma recompensa que, em alguma medida, diminua a dependência e insegurança inerentes ao salariato. Pode dizer-se que a substituição da aprendizagem no e pelo trabalho

ENTRE A FÁBRICA E O *CALL CENTER*

pela aprendizagem formal no seio de uma instituição de ensino tem redundado na diminuição das oportunidades de aceder à qualificação, desde logo porque as disposições fabricadas na escola revelam uma suprema desvalorização do trabalho manual, assim como evidenciam uma forte idealização das realidades do mundo do trabalho. Cada vez mais escasseiam as possibilidades de recrutar jovens cujas expectativas de vida profissional se encontrem solidamente ancoradas numa visão realista do funcionamento das empresas, que estejam dispostos a aceitar que a sua formação formal não os dispensa de um longo processo de aprendizagem e da demonstração de uma série de atitudes, designadamente subordinação às hierarquias, fidelidade à empresa e identificação com os seus objectivos, aceitação das condições de trabalho, que tendem a considerar servis e inaceitáveis.

Apesar de permanecer um ramo de actividade relativamente imune à incorporação de processos de trabalho industrializados e apesar de continuar a oferecer possibilidades de aprendizagem do trabalho qualificado, a construção é cada vez menos atractiva para as gerações mais jovens, cada vez menos predispostas a acatar as modalidades de aprendizagem que ainda têm lugar neste campo de actividade.

Tratando-se de uma actividade que não é propriamente permeável à internalização de tecnologias que conduzem ao desaparecimento dos operários de ofício,

47

persistem aqui condições para desenvolver aprendizagens qualificantes, mesmo que os níveis de escolarização sejam modestos. Todavia, a mão-de-obra jovem recrutável já não possui as predisposições necessárias para as realizar e, por isso, fica cada vez mais impedida de se adaptar à insegurança laboral com o distanciamento táctico das gerações precedentes.

Precariedade e integração desqualificante

Sob o duplo efeito do fracasso da socialização escolar e da não modernização das empresas, pelo menos no sentido de oferecer alguma compensação para a penosidade do trabalho e para a (igualmente) forte desvalorização simbólica que pesa sobre a actividade manual neste campo, a base de recrutamento operário tem vindo a restringir-se aos jovens que, por força do seu fracasso escolar, não podem realisticamente aspirar aos postos de trabalho que permitiriam alcançar os padrões de consumo considerados prestigiantes na sociedade em que vivemos e que aprenderam a desejar. Apesar de desarmados para responder às exigências desse tipo de postos de trabalho, não deixam de evidenciar uma atitude de profunda recusa dos únicos trabalhos que lhes são acessíveis e lhes facultariam, caso se dispusessem a acatar a duríssima ascese do trabalho que a produção aqui impõe, alguma possibilidade de resistir aos processos de exclusão social pelo económico e de construir uma identidade social baseada no trabalho.

A *integração insegura* no mercado de trabalho, que acima identificamos, vai, assim, sendo suplantada pela *integração desqualificante*, isto é, uma forma de integração no mercado de trabalho subjectivamente vivida como aviltante, com sentimentos de desencanto a respeito das tarefas a executar e das condições de emprego, de profunda desesperança a respeito do futuro. A impossibilidade de vivenciar o trabalho como fonte de satisfação e de dignidade tem efeitos gravosos, não somente sobre as condições de existência dos trabalhadores, mas, igualmente, no que respeita à participação cívica e política. No actual contexto de severa restrição das oportunidades de mobilidade social ascendente, a experiência negativa da relação com o mundo do trabalho arrasta consigo atitudes de descrença e desilusão que remetem muitos indivíduos para um processo de duradoura desinserção profissional e social. Quando a participação no mundo do trabalho não proporciona mais do que esforços penosos, rendimentos permanentemente incertos, impossibilidade de se projectar no futuro e ausência de consideração social, mais forte se torna a probabilidade de abandonar a luta e de passar a contar essencialmente com os rendimentos provenientes do sistema de protecção social, acrescidos, eventualmente, dos que são proporcionados pelo recurso aos diversos tipos de expediente que germinam nos segmentos informais da economia.

A quebra da actividade produtiva registada na última década [2], que, por força de ritmos de construção excessivos, precipitou as empresas em graves dificuldades de reprodução da actividade e de oferta de emprego, não deixará de constituir um factor de reforço da resistência à adopção de modalidades de gestão da mão-de-obra socialmente mais responsáveis.

---

[2] Segundo o Presidente da AICCOPN (citado no *Jornal de Notícias,* 16 de Fevereiro de 2010), a crise global veio tornar ainda mais difícil a recuperação de um sector que, desde 2002, regista uma quebra de actividade acumulada que supera os 30 por cento.

TRABALHO DOMÉSTICO: SINGULARIDADES DE UMA ACTIVIDADE PRECÁRIA

Por **PEDRO DAVID GOMES** e **VANESSA R. DE LA BLÉTIÈRE** (*)

Actualmente, existem cerca de 10 milhões de trabalhadores dedicados ao trabalho doméstico a nível mundial, segundo dados da Organização Internacional de Trabalho (2008). A 19 de Março de 2008, esta mesma organização tomou a decisão de incluir a questão da elaboração de normas para o trabalho doméstico na agenda da 99.ª Sessão da Conferência Internacional do Trabalho, em 2010. Esta decisão marca o início de um processo que poderá conduzir a uma nova Convenção da OIT, que

---

(*) Respectivamente, bolseiro de iniciação científica e bolseira de investigação no DINÂMIA (Centro de Estudos Sobre a Mudança Socioeconómica).

terá como intenção proteger e melhorar os direitos dos trabalhadores domésticos em todo o mundo. A procura de uma convenção que possa promover um trabalho doméstico digno é fruto de uma preocupação generalizada com a precariedade que muitos trabalhadores actualmente experimentam neste campo laboral.

Quando nos propomos estudar a evolução do trabalho doméstico remunerado, verificamos que um dos marcos desta evolução está intimamente ligado ao processo de emancipação da mulher e consequente entrada no mercado de trabalho; factor primordial que reflecte os seus efeitos numa micro e macro estrutura social. Os grandes fluxos migratórios e o aumento da esperança média de vida são alguns dos factores impulsionadores das alterações em diversos níveis da sociedade. Assiste-se, assim, a uma crescente procura de infra-estruturas capazes de dar conta destas novas mudanças sociais na vida quotidiana, sobretudo no que diz respeito à vida privada e apoio familiar. É precisamente neste contexto que podemos olhar para o trabalho doméstico enquanto fenómeno em crescimento global, massificado e modelado por diversos constrangimentos sociais que alteram a sua estrutura. Ao longo dos anos, o trabalho doméstico foi alvo de algumas alterações internas, acompanhando o crescimento das sociedades. Apesar de esta ser uma actividade central no seio de uma sociedade desenvolvida, é socialmente desvalorizada.

ENTRE A FÁBRICA E O *CALL CENTER*

O trabalho doméstico tem a particularidade de cruzar duas esferas que estão tradicionalmente distanciadas; de forma geral, o lar foi sempre tido em conta enquanto esfera íntima que se distinguia do espaço social exterior, mantendo uma separação entre trabalho e família estritamente delineada por características herdadas pela divisão sexual do trabalho. O que distingue o trabalho doméstico remunerado do praticado pela mulher no seu lar é justamente o facto de este estabelecer uma relação de *troca por troca* em que a remuneração é o elemento mediador. Além disso, o trabalho doméstico remunerado é praticado por uma pessoa *exterior* à esfera privada do domicílio, alterando o processo de execução das tarefas domésticas no campo de uma relação familiar. Esta característica cria alguns obstáculos à sua própria percepção enquanto trabalho *real*, por implicar uma ideia muito próxima da actividade não remunerada, praticada tradicionalmente pelas mulheres, no lar. Neste sentido, o espaço físico, privado e íntimo, onde se desenvolve a relação laboral, assim como a natureza das tarefas exercidas são os principais traços que distinguem esta actividade laboral de outras praticadas na esfera social. Considerado como uma actividade *reprodutiva* (diferenciando-se, assim, da actividade *produtiva* tradicionalmente atribuída ao género masculino), o trabalho doméstico remunerado continua a ser um campo onde persiste a desigualdade de género. A própria definição portuguesa, atribuída pela Classificação Nacional das Profissões (CNP), referente a esta categoria laboral, acaba por ser um vestígio da persistência deste fenómeno: «Empregada doméstica» é um dos poucos exemplos de categorias profissionais designadas na forma feminina. Podemos dizer que o trabalho doméstico é também, de certa forma, informal e flexível. Esta informalidade é observada pela ausência de regulamentação e de fiscalização detalhada das condições em que o trabalho é exercido. Em paralelo, é vivida uma maior autonomia pelos agentes envolvidos ao predeterminarem alguns aspectos práticos que a própria legislação não especifica. Mesmo que a lei especificasse cada item referente ao trabalho doméstico e à sua execução, a sua prática eficaz estaria sempre comprometida perante o carácter de intimidade e privacidade que aquele espaço laboral específico sugere. A informalidade também persiste, por outro lado, no processo de contratação de empregadas domésticas, ao basear-se em redes de contactos informais que possam garantir um elevado grau de confiança e rápida adaptabilidade.

O crescimento generalizado do trabalho doméstico, acompanhado pelas novas necessidades familiares, impulsionou a sua democratização, no sentido em que hoje deixa de ser visto como um «luxo» reservado a uma elite para ser considerado como uma necessidade por um maior número de famílias; fenómeno este, relacionado com a entrada das mulheres no mundo do mercado de trabalho, que impulsionou um processo de acumulação de tarefas (no lar e fora deste). O carácter flexível desta actividade pode ser percepcionado através da mobilidade que é sugerida à pessoa que exerce estas funções, por apresentar uma variedade de regimes que se adequam às necessidades exigidas (regime a *full-time*, interno, ou a *part-time*). Hoje em dia, há cada vez mais famílias que contratam pessoas à hora, fazendo com que as trabalhadoras procurem um maior número de patrões para poderem completar um dia de trabalho; esta situação estimula o trabalho informal, sem contrato escrito, podendo também ser visto como um factor de vulnerabilidade face ao incumprimento dos seus direitos.

Um exemplo desta realidade é o número de horas semanais trabalhadas pelas mulheres imigrantes [1], que frequentemente atingem valores acima de 45 horas, uma duração mais elevada do que a média nacional. Isto será válido para empregadas de limpeza, bem como para as empregadas domésticas externas, que acumulam muitas horas nas várias «casas», e para as empregadas domésticas internas que, a pretexto de não verem contabilizadas certas tarefas como «produtivas», acabam por trabalhar

---

[1] João Peixoto (org.), *Mulheres Migrantes: Percursos Laborais e Modos de Inserção Socioeconómica das Imigrantes em Portugal*, Relatório Final, Socius, ISEG, Lisboa, 2006, p. 218.

em horas de descanso, sendo por vezes difícil destrinçar onde termina o trabalho e começa a vida pessoal. O trabalho doméstico ganha um sentido e significado próprios, nos termos da lei e da sua regulamentação, assim como evoca, em torno de si próprio, toda uma série de simbolismos pertencentes a um quadro de valores, socialmente identificável, que tende a exercer influência na relação funcional subjacente a esta actividade. A esfera da vida familiar parece estar envolvida por uma espécie de membrana onde a intimidade do quotidiano dos seus membros é preservada, obstruindo o percurso *natural* de uma eficaz regulamentação directa do trabalho. Desvantagens do regime especial.

O processo de regulamentação do trabalho doméstico é caracterizado por uma certa morosidade, quando comparado com outras actividades; a primeira legislação, especifica sobre o trabalho doméstico, surgiu em 1980 (D.L. 508/80, de 21 de Outubro) actualizada doze anos depois, em 1992 (D.L. 235/92 de 24 de Outubro). O diploma abrange apenas os trabalhadores que executam um trabalho contínuo e de forma regular no domicílio, excluindo outros. Este regime especial acarreta, em alguns casos, direitos menos vantajosos quando comparáveis com os trabalhadores do regime geral. A maior facilidade no despedimento por justa causa e o número de horas de trabalho (o artigo 13.º determina um máximo de 44 horas semanais para o trabalho doméstico), são

ENTRE A FÁBRICA E O *CALL CENTER*

dois exemplos; por seu turno, o pagamento de horas extra não é mencionado na lei. O trabalhador, caso aceite, pode trabalhar nos dias feriado, sendo depois compensado com um dia de folga ou, não sendo viável, com a remuneração correspondente. O factor económico do trabalho doméstico é outro elemento condicionado pela desvalorização social e também pela sua informalidade. Tendo em conta algumas entrevistas realizadas [2] a empregadas domésticas, pode verificar-se que a maior parte dos salários é estipulada com base no conhecimento, adquirido pelas trabalhadoras, através da sua rede de contactos informais. Em termos de regulamentação, esta actividade apenas foi abrangida pelo salário mínimo nacional em 2004, acabando por ser a última categoria profissional a adquirir este estatuto. O impacto global desta actividade não representa, no entanto, uma maior facilidade em obter dados estatísticos que traduzam com exactidão os «números» sobre o trabalho doméstico e seus trabalhadores. Isto deve-se, particularmente, ao facto de estarmos perante um trabalho em grande parte realizado de forma informal, não declarado, bem como ao facto de muita da recolha estatística englobar estes trabalhadores em categorias demasiado amplas como, por

---

[2] No âmbito do Projecto do DINÂMIA «Trabalho Doméstico e Trabalhadores Domésticos: Perspectivas Interdisciplinares e Comparadas», financiado pela Fundação para a Ciência e a Tecnologia (FCT).

exemplo, «Pessoal de Limpeza, Lavadeiras, Engomadores de Roupa e Trabalhadores Similares».

Apesar disso, através de estudos [3] já realizados fica claro que o número de trabalhadoras domésticas imigrantes aumentou globalmente e que se registaram casos de violação dos seus direitos, sobretudo imigrantes em regime interno. Este fenómeno está relacionado com a precariedade do trabalho doméstico e vem afectar a sua natureza dentro do lar, impulsionando não só uma interacção cultural que contorna a relação laboral na família como a origem de novos estereótipos em redor desta categoria laboral que terão efeitos no processo de selecção de empregadas domésticas, podendo, de igual forma, atingir a própria relação estabelecida. Além disso, esta situação tende a afectar toda a estrutura económica do trabalho doméstico, uma vez que se verifica uma desigual distribuição de salários entre portuguesas e imigrantes. O serviço doméstico aparece, desta forma, como uma oportunidade de trabalho para a maior parte das mulheres imigrantes em Portugal.

Os serviços de limpezas e o serviço doméstico constituem actividades que têm vindo a absorver uma fatia

---

[3] Ver, por exemplo, Bridget Anderson, «Different Roots in Common Ground: Transnationalism and Migrant Domestic Workers in London», *Journal of Ethnic & Migration Studies*, vol. 27, n.º 4, 2001, pp. 673-683.

considerável da força de trabalho das mulheres imigrantes, com destaque para as oriundas dos países africanos de língua oficial portuguesa (PALOP), Europa de Leste e, em menor grau, Brasil. Grande parte destas trabalhadoras não tem contrato escrito. Convém realçar que, para algumas destas trabalhadoras, esta comprovação contratual é, acima de tudo, uma peça incontornável para a sua regularização ([4]). Ao passo que, para outras, a relação laboral informal não deixa de ser encarada como útil para as suas estratégias de maximização do rendimento a curto prazo. Não obstante, as trabalhadoras em situação irregular no país, a que se alia, nalguns casos, um fraco domínio da língua portuguesa, confrontam-se com uma maior vulnerabilidade face a possíveis abusos de empregadores. O desconhecimento generalizado da lei e dos próprios direitos do trabalhador são também factores que irão influenciar a escolha de não elaborar um contrato escrito, persistindo um certo receio em formalizar uma relação tradicionalmente informal (sublinhe-se que a maior parte das empregadas domésticas portuguesas têm baixa escolaridade). O facto de se estar a desenvolver uma acção no espaço familiar não facilita a existência de uma relação meramente laboral, confundindo-se afectos e sentimentos com deveres e direitos.

([4]) Para efeitos de obtenção de autorização de residência, existe uma lista de associações com competências para comprovar a existência de relações laborais.

Estudos apontam para diversas situações em que, sobretudo imigrantes, por não terem nenhuma outra rede de suporte no país e se encontrarem em situação de maior vulnerabilidade, são frequentemente confrontadas com atrasos ou não pagamento de salários e horas extras, recusa em prestar descontos para a Segurança Social, incumprimento de contratos, incumprimento de direito a folgas, discriminação no acesso ao trabalho, etc [5]. Menos frequente, mas não menos grave, são também os casos registados, com *internas*, de práticas associadas ao trabalho forçado: apreensão de documentos, aprisionamento no local de trabalho, coacção psicológica, etc.

Apesar da existência de sindicatos (SLEDA, STAD) [6] representativos do sector, parece existir uma escassa militância das trabalhadoras. As sindicalizadas são, na sua maioria, trabalhadoras vinculadas a empresas de limpeza. Além disso, não existem associações de empregadores de trabalhadores domésticos com quem aqueles

---

[5] Ver, por exemplo, Sónia Pereira e João Vasconcelos, *Combate ao Tráfico de Seres Humanos e Trabalho Forçado – Estudos de caso e respostas de Portugal*, Programa Especial de Acção de Combate ao Trabalho Forçado, Escritório da OIT em Lisboa, Genebra, 2007, pp. 42-44.

[6] SLEDA: Sindicato Livre dos Trabalhadores de Serviços de Limpeza, Portaria, Vigilância, Manutenção, Beneficência, Doméstico e Afins; STAD: Sindicato dos Trabalhadores de Serviços de Portaria, Vigilância, Limpeza, Domésticas e Actividades Diversas.

poderiam negociar. Por causa das «singularidades» desta relação de trabalho, a adopção de estratégias comuns de negociação apresenta-se, à partida, como cenário improvável. É de admitir que se encontre aqui um dos motivos para a fraca adesão sindical deste grupo profissional. Uma vez que ainda não podemos classificar os sindicatos portugueses entre os mais activos no que concerne ao trabalho doméstico [7], cabe igualmente a outras organizações da sociedade civil a tarefa de se mobilizarem em torno da luta pela dignificação e regularização do trabalho doméstico e de limpezas, praticado maioritariamente por mulheres.

Em suma, a multidimensionalidade marca esta actividade. Ao equacionar-se uma política de valorização do trabalho doméstico verdadeiramente capacitadora, justa e assente nos direitos sociais, alguns desafios deverão ser tidos em consideração, como a actualização da própria lei, a formação profissional e cívica, a fiscalização das condições de higiene e segurança nos domicílios onde trabalham, a agilização dos mecanismos de regularização de trabalhadoras domésticas imigrantes, a promoção da igualdade de género e a criação de estruturas e medidas de apoio à resolução de conflitos. Sendo este um tema de interesse internacional, a crescente aposta

---

[7] Relatório da European Trade Union Confederation (ETUC), www.etuc.org/IMG/pdf/Rapport_ dosmestic_workers3. pdf.

em convocá-lo para debate e em reafirmar a precariedade a que esta actividade está sujeita prenuncia um
importante passo para que se consiga resgatá-la da invisibilidade e projectá-la rumo a um trabalho doméstico
digno.

IMIGRANTES
E PRECARIEDADE LABORAL:
O CASO DOS TRABALHADORES
DE ORIGEM AFRICANA

Por **SÓNIA PEREIRA** (*)

Os estudos sobre trabalhadores imigrantes apontam para um importante peso da precariedade na sua situação laboral. Esta precariedade está habitualmente associada a modos de incorporação laboral desvantajosos, em ocupações de baixo estatuto, no caso português principalmente na construção civil, limpezas, trabalho doméstico, hotelaria e restauração, onde domina a informalidade (ausência de vínculos laborais ou de contribuições para a Segurança Social), e onde a elevada vulnerabilidade ao desemprego conduz a que a taxa de desemprego

---

(*) Centro de Estudos Geográficos da Faculdade de Letras da Universidade de Lisboa.

entre imigrantes seja superior à verificada para os trabalhadores nacionais.

No entanto, a condição de precariedade é mais ampla, envolvendo múltiplas dimensões do quotidiano laboral dos imigrantes, designadamente o tipo de empregadores, os horários e ritmos de trabalho, as condições salariais, a discriminação e ainda as condições de higiene e segurança no trabalho. Simultaneamente, o trabalho precário afecta de forma distinta homens e mulheres, porque a segmentação sectorial verificada nas suas modalidades de inserção faz com que as condições de trabalho de uns e outros sejam distintas e resultantes das características dos sectores em que ambos trabalham. Convém, ainda, não ignorar que a própria precariedade não é estática, mas regista variações ao longo do tempo, designadamente em função de transformações vividas nos próprios mercados de trabalho. Actualmente, destaca-se a crescente adesão às formas de trabalho flexível, transversais a trabalhadores pouco e altamente qualificados, estrangeiros e nacionais, que produz também efeitos na situação laboral dos imigrantes e afecta, nomeadamente, as suas possibilidades de progressão nos mercados de trabalho europeus e as trajectórias laborais dos seus descendentes [1].

---

[1] Annie Phizacklea «Os mercados de trabalho flexível e o trabalho incerto: o caso da migração», *Flexibilidade de Emprego – riscos e*

ENTRE A FÁBRICA E O *CALL CENTER*

Os imigrantes originários dos países africanos de língua oficial portuguesa (PALOP) – e em particular os nacionais de Cabo Verde – merecem uma atenção especial, por revelarem uma posição de maior fragilidade no mercado de trabalho face aos restantes imigrantes, ao nível do desemprego, dos salários auferidos e das qualificações [2]. As histórias laborais de 145 imigrantes de origem africana [3] que foram analisadas ilustram as situações de precariedade vividas por imigrantes desta origem em Portugal [4].

---

oportunidades, Ilona Kóvacs, Celta, Oeiras, 2005. A autora aborda esta questão no contexto britânico, defendendo que a procura de trabalhadores flexíveis por parte das empresas europeias, combinada com uma regulação apertada dos fluxos migratórios, está a resultar na exploração de trabalhadores migrantes, em alguns casos gerando situações de trabalho forçado e de tráfico. Neste processo estão também envolvidas agências de emprego e recrutamento que enriquecem enquanto fornecedoras de mão-de-obra flexível. Para informação sobre o trabalho forçado no caso português, ver Sónia Pereira e João Vasconcelos, «Combate ao Tráfico de Seres Humanos e Trabalho Forçado: Estudos de Caso e Respostas de Portugal», Organização Internacional do Trabalho (OIT), Genebra, 2007.

[2] OECD [OCDE, Organização de Cooperação e Desenvolvimento Económic], «The Labour Market Integration of Immigrants in Portugal», Employment Labour and Social Affairs Committee, 2007.

[3] Recolhidas no âmbito da tese de doutoramento em Geografia Humana em curso na Faculdade de Letras da Universidade de Lisboa.

[4] Os dados utilizados neste artigo foram analisados pela autora em «Trabalhadores imigrantes de origem africana: precariedade

Empregadores e vínculos laborais

Em 2006, os principais empregadores das mulheres imigrantes inquiridas eram as empresas de limpeza, seguindo-se os particulares e outros empregadores: restaurantes, lares, empresas de *catering* e serviços de restauração colectiva. Por sua vez, a maior parte dos homens trabalhou, no mesmo ano, para subempreiteiros e pequenas empresas de construção civil.

Entre 1998 e 2006, um número crescente de mulheres imigrantes de origem africana passou a trabalhar para empresas de limpeza, subcontratadas para a realização de limpezas em empresas/escritórios. Esta passagem, sobretudo do trabalho doméstico para as firmas de limpeza, implicou um reforço da formalidade das relações laborais, designadamente através da constituição de vínculos permanentes à empresa. Contudo, as relações laborais nestas empresas estão longe de serem pacíficas, com vários conflitos referidos por associações de apoio a imigrantes, sindicatos e pelos próprios imigrantes. A queixa mais frequentemente apontada pelas imigrantes diz respeito ao reduzido número de horas que um trabalho desta natureza pressupõe e aos baixos salários auferidos. Isto apesar de estarem geralmente asseguradas todas as

---

laboral e estratégias de mobilidade geográfica», *Migrações*, n.º 2, Abril de 2008.

condições de uma relação de trabalho formal, incluindo o pagamento de subsídios de Natal e de férias e contribuições para a Segurança Social. Há ainda várias queixas de incumprimento do contrato colectivo de trabalho (CCT) para este sector. Por exemplo, quando ocorre a substituição da firma responsável pelas limpezas num cliente, a nova empresa nem sempre integra as funcionárias que operam nesse local e nem sempre mantém as suas condições laborais, apesar de a isso estar obrigada no âmbito do CCT.

A importância das agências de trabalho temporário na contratação de trabalhadores imigrantes é pouco expressiva na amostra; mas uma análise dos Quadros de Pessoal [5] confirma a tendência para o recurso a estas empresas. Nos distritos de Lisboa e Setúbal, o número de trabalhadores dos PALOP contratados por estas empresas passou de 1039 em 2000 para 6238 em 2006. As entrevistas com empregadores no sector da construção civil confirmam também o crescente recurso a esta modalidade de contratação.

Entre 1998 e 2006 verificou-se uma descida relevante do número de imigrantes sem contrato de trabalho, assim como um aumento dos pagamentos de contribuições para a Segurança Social, principalmente para as mulheres

---

[5] Disponibilizados pelo Ministério do Trabalho através do Gabinete de Estratégia e Planeamento.

(mesmo no trabalho doméstico). No caso dos homens persistiu um maior número de situações de informalidade.

Horários e ritmos de trabalho

O horário de trabalho e o ritmo de trabalho são substancialmente diferentes entre homens e mulheres. Em 2006, 62,1 por cento das mulheres inquiridas trabalhava apenas em regime de *part-time*, enquanto a totalidade dos homens trabalhava a tempo inteiro. Aliás, o número de mulheres imigrantes que trabalha apenas em regime de *part-time* registou um crescimento sustentado desde 1998.

A preferência por este regime de trabalho é apontada como o que separa um trabalho precário de um trabalho meramente flexível. Não dispomos de informação para a totalidade das inquiridas relativamente à voluntariedade, mas várias expressaram o desejo, que não têm conseguido concretizar, de aumentar o número de horas que trabalham; o que indicia que, pelo menos para uma parte das inquiridas, o regime de trabalho em *part-time* corresponde a uma situação involuntária e, por isso, de precariedade, que responde sobretudo às necessidades dos empregadores, não das trabalhadoras. No conjunto das mulheres inquiridas, em 2006, 44,1 por cento trabalhava em horário pré-expediente (entre as 6 e as 9 da manhã) e 33,8 por cento em horário pós-expediente (entre as 17 e as 20 horas ou 18 e 21 horas). Estes horários, mais requisitados pelos clientes, criam enormes dificuldades na conciliação da vida laboral e da vida familiar, sobretudo para quem tem filhos pequenos. A imposição destes horários conduziu, aliás, a que em vários bairros com forte concentração de imigrantes as estruturas de apoio comunitárias criassem jardins-de-infância e creches com horários alargados. Estas iniciativas revelam-se, contudo, insuficientes para fazer face à procura.

Condições salariais e desemprego

Os baixos salários actuais estão entre as queixas mais referidas pelos imigrantes, homens e mulheres. O sentimento geral transmitido é de que o poder de compra, em Portugal, baixou significativamente nos últimos anos, aliado a uma manutenção ou até a descidas nos níveis salariais. Esta é, aliás, uma das principais razões que têm conduzido à saída de trabalhadores para o estrangeiro. A este respeito, a diferença entre homens e mulheres é também evidente, com o nível salarial dos homens a ser substancialmente superior ao das mulheres. O salário mensal dos homens inquiridos situou-se, em 2006, entre

400 e 1500 euros, correspondendo a um salário médio de 711 euros. No caso das mulheres, no mesmo ano, o salário mensal situou-se entre 90 e 1210 euros, correspondendo a média a 356 euros. Estas diferenças surgem sobretudo porque a maior parte dos homens tem um trabalho a tempo inteiro, muitas vezes como operários especializados, e com maiores oportunidades de fazer horas-extra, que asseguram também remuneração extra, ao contrário das mulheres, que trabalham sobretudo em *part-time* e em horários reduzidos, conforme já foi mencionado. No caso das mulheres, um salário completo conquista-se frequentemente à custa da acumulação de vários trabalhos.

O pagamento dos salários é também uma das áreas mais sensíveis da vida dos imigrantes. A prática do não pagamento de salários, por exemplo por subempreiteiros pouco escrupulosos, ficou bem patente nos inquéritos realizados.

Estas práticas salariais têm implicações no nível de vida dos imigrantes, mas também contribuem para o agravamento do desemprego. Em alguns casos os imigrantes desistem ou rejeitam ofertas de trabalho porque «não compensa», nomeadamente porque a deslocação até ao local de trabalho a partir de bairros periféricos implica um custo mensal elevado.

Discriminação

Dados recentes sobre o desemprego nos estrangeiros indicam que estes têm sido mais afectados pela subida recente na taxa de desemprego do que os cidadãos nacionais e, destes, os nacionais dos PALOP parecem ser os mais atingidos [6]. Os períodos sem trabalho marcam, aliás, as trajectórias laborais dos imigrantes inquiridos. Os períodos sem trabalho de longa duração afectam mais as mulheres do que os homens, e estão por vezes associados a situações de maternidade e assistência à família. Enquanto os homens sofrem mais de períodos sem trabalho de curta duração, que são habituais na transição entre obras.

Dos imigrantes inquiridos, a maioria diz que nunca se sentiu alvo de discriminação. Contudo, vários imigrantes entrevistados referiram que no período imediatamente após a descolonização havia uma preferência notória por trabalhadores brancos com nacionalidade portuguesa. Com o passar do tempo, esta preferência esbateu-se no acesso a ocupações menos qualificadas, persistindo ainda nos locais de trabalho, e de forma marcada, no acesso a funções mais qualificadas.

A proporção de mulheres que já se sentiu discriminada é superior à dos homens e manifesta-se, por exemplo, no tipo de trabalho exercido. A título de exemplo,

---

[6] OECD, *ibid.*

uma das inquiridas refere que se sente frequentemente discriminada no local de trabalho, sentindo que os trabalhos piores são para os africanos. Uma imigrante refere, por exemplo, que teve que passar para uma posição com menor visibilidade depois de um dos clientes comunicar à sua encarregada que não queria ver «pessoas de cor». Algumas empresas de limpeza entrevistadas referem que também já passaram por situações deste tipo. No caso dos homens, a desconfiança relativamente às capacidades, sobretudo pelos colegas, parece ser também habitual, e implica que têm que trabalhar mais do que os colegas portugueses para provar as suas competências. Três imigrantes referiram também que, por não terem sotaque típico de africanos, quando respondem a anúncios por telefone são chamados para entrevistas, mas quando aparecem são imediatamente rejeitados, sentindo que isto se deve ao facto de os entrevistadores verem que são africanos.

Condições de higiene e segurança e acidentes de trabalho

As condições de higiene e segurança associadas ao trabalho dos imigrantes em Portugal têm sido pouco exploradas, mas constituem uma dimensão fundamental da sua realidade laboral. Principalmente porque os

ENTRE A FÁBRICA E O *CALL CENTER*

«trabalhos que ninguém quer», frequentemente desempenhados por imigrantes, implicam riscos para a saúde e de acidentes de trabalho assinaláveis. O sector da construção civil, principal empregador dos homens imigrantes africanos, regista a maior proporção de acidentes de trabalho mortais (cerca de 52 por cento em 2007), segundo dados da Inspecção-Geral do Trabalho.

Destes, 14 por cento envolveram trabalhadores estrangeiros, a maioria brasileiros, indiciando que os trabalhadores mais recentes serão os mais vulneráveis a acidentes de trabalho.

Vários imigrantes inquiridos indicaram ainda que sofrem de doenças profissionais associadas às actividades que desempenham, algumas delas reveladoras da perigosidade dessas tarefas para a sua saúde. É o caso de uma operária numa fábrica de seca de bacalhau que tem que estar dentro de água fria a trabalhar, tendo por esse motivo desenvolvido vários problemas de saúde. *«É muito duro»*, refere, acrescentando que em 2006 esteve sete meses sem trabalhar devido a estes problemas de saúde. Ou o caso de um decapador que está com vários problemas respiratórios por trabalhar todos os dias com pó. Os problemas de saúde estão, aliás, entre as principais causas de períodos sem trabalho de médio e longo prazo. Nestes casos, devido à natureza precária do trabalho, o acesso a prestações sociais é frequentemente nulo ou escasso.

Podemos assim concluir que a desvantagem laboral dos imigrantes existe para lá da informalidade a que habitualmente está associada. Apesar da tendência de declínio da informalidade nas relações laborais, com o tempo de residência no país, as condições de precariedade mantêm-se noutros domínios da sua vida laboral, nomeadamente: 1) na vulnerabilidade ao desemprego; 2) nos níveis salariais tendencialmente baixos, no caso das mulheres, e sujeitos a incumprimentos nos pagamentos, principalmente no caso dos homens; 3) nos horários reduzidos e pouco convencionais, no caso das mulheres; 5) na discriminação nos locais de trabalho e no acesso a funções mais qualificadas; e 6) em condições de higiene e segurança no trabalho deficientes, com implicações na sua saúde, rendimentos e continuidade no mercado de trabalho.

O VERDE E A ESPERANÇA:
VIVÊNCIAS DA CRISE
NO VALE DO AVE

Por **VIRGÍLIO BORGES PEREIRA** (*)

Até há cerca de um século não era difícil afirmar que o verde dos campos e a actividade agrícola dominante nestes seriam suficientes para fazer um retrato minimamente ajustado da região do Vale do Ave e dos seus modos de vida. Com a excepção de núcleos um pouco mais densamente urbanizados, como os de Guimarães ou de Vila Nova de Famalicão, os campos e os camponeses definiam ainda uma parte essencial da paisagem e da vida

---

(*) Sociólogo e docente na Faculdade de Letras da Universidade do Porto. O presente artigo retoma argumentos decorrentes de três trabalhos de campo desenvolvidos na região nas duas últimas décadas. O terceiro dos trabalhos está ainda em curso e envolve uma equipa de investigadores, que o autor integra, do Instituto de Sociologia da mesma faculdade.

na região [1]. Em determinados contextos locais adivinhava-se, contudo, já nesse período, o que viria a ser o futuro e a forma particularmente apurada da relação que a paisagem camponesa em transformação viria a manter com a indústria que nesta se viria a instalar de forma perene.

Em continuidade com o processo de industrialização que se iniciara anteriormente na cidade do Porto, numa tendência que se começara a esboçar no início da segunda metade do século XIX e que conhecerá ampla força ao longo de uma boa parte do século XX, os campos verdes e retalhados do Vale do Ave receberão, progressivamente, conjuntos diversificados de unidades industriais dedicadas à produção de fio, à tecelagem e, mais tarde, à confecção de vestuário [2]. Neste processo, viriam a conjugar-se factores que desempenharam um lugar relevante na génese da industrialização moderna: a força motriz da água; uma tradição local antiga de cultivo, fiação e tecelagem do linho; uma densidade populacional elevada, que, em articulação com um retalhamento muito acentuado da propriedade agrícola, aumentava a oferta de mão-de-obra disponível, fomentando, por isso, a

---

[1] Sobre esta questão, ver, entre vários trabalhos, Orlando Ribeiro, *Portugal, o Mediterrâneo e o Atlântico*, Sá da Costa, Lisboa, 1991.

[2] Sobre a história da industrialização regional, ver, por exemplo, Jorge Fernandes Alves, «Uma nebulosa a Noroeste. A indústria algodoeira», *Ler História*, n.º 36, 1999, pp. 83-123.

procura de trabalho exterior à agricultura, e que neste caso se viria a traduzir na emergência e estabilização das oficinas e indústrias domésticas e na entrada maciça nas fábricas sempre que estas se instalavam de um modo consequente ([3]).

Numa área superior a mil quilómetros quadrados, num quadro permanente de relevante dinamismo demográfico (ainda hoje a juventude é um atributo importante da respectiva população), a região define-se, progressivamente, por uma continuada e acentuada orientação da actividade económica e do emprego para a indústria, com especial destaque para os segmentos de mão-de-obra intensiva específicos do têxtil algodoeiro e do vestuário. Possuindo hoje mais de 70 por cento dos seus activos no sector secundário, a entrada e a permanência das oficinas domésticas e das fábricas nos campos do Ave não se fez, contudo, de modo homogéneo. Se em determinados contextos do Médio Ave, ao longo do tempo, há lugar para a produção e reprodução do mencionado padrão locativo difuso, noutros, e ainda que o verde dos campos permaneça próximo, afirmar-se-ão contextos fabris dotados de grande densidade de ocupação e de um impacto profundo na paisagem regionais. Acrescentar-se-á, por isso, e num movimento alimentado por uma

---

([3]) Ver Alice Ingerson, *Corporatism and Class Consciousness in North-western Portugal*, tese de dotoramento, Johns Hopkins University, Baltimore, 1984.

relevante capacidade empreendedora, à marcha da indústria através dos campos uma outra paisagem marcada por unidades fabris e aglomerados habitacionais relativamente densos de que as altas chaminés serão o símbolo mais impressivo e que encontraremos em núcleos de industrialização histórica como os que se constituem em Santo Tirso e na Trofa, em Famalicão, no Sudoeste de Guimarães ou em Vizela [4].

No quadro de uma grande intensidade do movimento quotidiano nas localidades e de pendularidades crescentes no interior regional em direcção a estes pólos empregadores (no início, a pé, com o tempo, de motorizada, de autocarro – público ou da empresa –, de comboio, quando possível, ou de automóvel), o Ave terá no operário de recente extracção camponesa uma das suas figuras sociais mais representativas [5] e, para muitos, responsável pela capacidade de amortecimento de problemas e de crises decorrente dos vínculos minimamente estáveis com a terra que este manteve. Contudo, ao *operariado* de matriz mais *rural* assim formado acrescentar-se-á, com intensidade crescente não negligenciável,

---

[4] Ver Álvaro Domingues e Teresa Marques, «Produção industrial, reprodução social e território – materiais para uma tentativa de abordagem do Médio Ave», *Revista Crítica de Ciências Sociais*, n.º 22, 1987, pp. 125-142.

[5] Ver, por exemplo, Karin Wall, *Famílias no Campo: passado e presente em duas freguesias do Baixo Minho*, Dom Quixote, Lisboa, 1998.

um *operariado industrial* dotado de uma configuração alternativa e estruturado de um modo mais aproximado, mesmo residencialmente, do universo das grandes unidades fabris regionais, ele próprio, progressivamente, definido por uma relação salarial mais regulada, ainda que sempre marcado pela exiguidade dos ganhos salariais que garante e por uma tendência não linear para a informalidade.

Assim, não obstante as semelhanças com outros processos de *industrialização difusa* dos campos, o Ave ganhará um estatuto próprio em matéria de modelo de desenvolvimento industrial no país, definido, entre outras características, pela relevância de uma articulação complexa entre oficinas domésticas, trabalho fabril e baixos salários auferidos pelos respectivos operários.

(Re)produção de vivências de crise

A crise não é uma realidade nova na região. Com intensidades e ritmos diferenciados, desde pelo menos os anos 1980 que esta se foi (re)produzindo e designando uma realidade que resulta do encerramento de oficinas domésticas e de fábricas e da reestruturação das secções destas últimas. As incidências da crise são tais que, com o tempo, se transformou num elemento constitutivo do espaço de socialização dotado de propriedades específicas, que exprimem realidades e sentimentos vários sobre o modo como *o mundo* localmente se produz, ou seja, sobre o modo como se produz o universo fabril, sobre como se criam e arruínam as fábricas e as vidas que elas suportam.

Não sendo, como dizíamos, novidade, a crise mais recente tem contribuído, contudo, para acentuar propriedades que poderemos considerar como alternativas relativamente às formas que vinha assumindo e que decorrem, fundamentalmente, da instalação de um processo de *desemprego maciço* [6] que, afectando empresas têxteis e do vestuário, não deixa de atingir outros ramos de actividade e instituições dotadas de grande relevância local (pense-se, por exemplo, no encerramento recente das Termas de Vizela). Contrariamente a tanta opinião corrente, o desemprego raramente se afirma pacificamente na vida das sociedades e das pessoas. Num contexto regional amplamente definido em torno do trabalho, não se pode negligenciar o que representa do ponto de vista material e simbólico uma realidade quotidiana mar-

---

[6] Para uma conceptualização sociológica comparada dos efeitos do desemprego maciço em duas situações nacionais e urbanas diferenciadas, ver Loïc Wacquant, *Urban Outcasts*, Polity Press, Oxford, 2008. Sobre a mesma problemática, agora a propósito da maior região de emprego industrial francesa, ver Stéphane Beaud e Michel Pialoux, *Violences urbaines, violences sociales*, Hachette, Paris, 2005.

ENTRE A FÁBRICA E O *CALL CENTER*

cada por elevados números de inscritos nos centros de emprego (segundo dados do Instituto do Emprego e Formação Profissional, Guimarães encerrava 2009 com 12 871 desempregados inscritos; Vila Nova de Famalicão, com 8944; Santo Tirso, com 6901; Fafe, com 3870; Trofa, com 3598; Vizela, com 1932) e por taxas de desemprego situadas, ao longo dos últimos anos, em valores, frequentemente, na ordem do dobro das médias nacionais. Por outro lado, não poderemos deixar de ter em conta que a incidência deste desemprego não é uniforme geograficamente, tendendo a afectar, sobretudo quando decorre do encerramento e da reestruturação sucessivos das unidades fabris têxteis, as zonas de industrialização mais consolidada, contribuindo, assim, para o reforço do sentimento do seu carácter maciço e para o agravamento das interrogações acerca do futuro do mundo local.

Ainda assim, as estatísticas oficiais disponíveis sobre o desemprego em cada um dos concelhos demonstram que este continua a possuir uma génese selectiva e (não obstante a sua presença em muitas famílias, levando à inactividade de marido e mulher) que continua a afectar mais fortemente as mulheres, os que procuram novo emprego, os adultos e adultos mais envelhecidos e aqueles que possuem menores qualificações, o que equivale a afirmar que, além de possuir uma distribuição geográfica regional não uniforme, este desemprego continua a possuir a capacidade de fragilizar aqueles que estão menos protegidos no interior da mão-de-obra local.

Realidade e projecto na região

Com a crise e com o desemprego cresce na região a urgência de uma interrogação sobre o futuro objectivo – das fábricas, das instituições de solidariedade, do Estado e das políticas económicas e sociais que produz –, mas também sobre o projecto subjectivo – das pessoas e das famílias.

Ainda é cedo para se compreender plenamente o modo de composição da crise em curso. Além do que temos vindo a salientar, é possível identificar algumas incidências suplementares. Um aspecto não negligenciável diz respeito à relação com a agricultura e destaca a limitada capacidade que terá hoje a agricultura regional para amortecer crises, dificilmente se perspectivando a possibilidade de se encontrar nesta um refúgio viável para o operariado que, até há pouco tempo, ainda tinha nesta uma referência complementar. Por sua vez, o operariado industrial fixado nos núcleos históricos do têxtil há muito perdeu as ligações com a terra e não terá, uma vez desempregado, nem a composição etária nem as condições sociais mais propícias ao desenvolvimento de estratégias de resistência e adaptação às contingências do campo

ENTRE A FÁBRICA E O *CALL CENTER*

económico estruturadas no quadro das complexas migrações pendulares que encontramos noutros contextos regionais do Noroeste e que têm garantido a resistência do operariado aqui formado ([7]).

Um outro aspecto envolve a composição do próprio desemprego e releva a importância crescente da *incerteza* na sua definição. À medida que cresce o contingente dos desempregados «apanhados na idade perigosa» *(velhos demais para trabalharem, novos demais para se reformarem)* acentuam-se tendências para que a inactividade económica forçada possua uma muito *longa duração*. Esta, por força da ausência do *tempo estruturante* do trabalho ([8]), e para lá da incerteza que instala no futuro pessoal e no projecto colectivo (desde logo, sobre o que acontecerá quando os apoios sociais do Estado começarem a terminar), gera alterações profundas nas redes relacionais dos agentes e dos respectivos suportes sociabilitários, contribuindo, como se torna muito visível em determinados contextos locais da região, para uma diminuição assinalável dos ritmos quotidianos, para o decréscimo do capital social dos agentes e para o desenvolvimento

---

([7]) Ver a propósito José Madureira Pinto e João Queirós (orgs.), *Ir e Voltar: sociologia de uma colectividade local do Noroeste português*, Afrontamento, Porto, vol. I, 2010.

([8]) Ver Roger Sue, «Entre travail et temps libre: l'émergence d'un secteur quaternaire», *Cahiers Internationaux de Sociologie*, n.º 99, 1995, pp. 401-415.

de sentimentos de inutilidade social ([9]) ocasionalmente interrompidos pela esperança de ganhar um jogo de azar.

Uma profunda incerteza paira sobre os campos verdes do Ave.

([9]) Ver, sobre este assunto, Pierre Bourdieu «O terrível descanso que é o da morte social», *Le Monde diplomatique – edição portuguesa*, Junho de 2003. Ver, igualmente, a obra de Paul Lazarsfeld, *Les Chômeurs de Marienthal*, PUF, Paris, 1981, de que o texto citado de Bourdieu constitui o prefácio.

O SISTEMA NERVOSO:
EFEITOS DA PRECARIZAÇÃO
NO OPERARIADO DO VALE DO SOUSA

Por **BRUNO MONTEIRO**(*)

Situada no Noroeste português, a sub-região do Vale do Sousa compreende seis concelhos com grande peso do sector secundário (Castelo de Paiva, Felgueiras, Lousada, Paços de Ferreira, Paredes e Penafiel). O seu padrão de especialização na periferia tradicional da indústria transformadora (designadamente, mobiliário e madeiras, têxtil e vestuário, calçado, construção civil) caracteriza-se pelo recurso intensivo a mão-de-obra, pela informalidade das relações laborais e pelas reduzidas qualificações e remunerações dos trabalhadores [1].

(*) Instituto de Sociologia da Universidade do Porto

[1] Ver João Queirós e José Madureira Pinto, «Estruturas produtivas, escolarização e desenvolvimento no Vale do Sousa. Análise da reprodução da condição social periférica numa região metropolitana portuguesa», *Cadernos de Ciências Sociais*, n.º 25-26, 2008, pp. 309-355.

O trabalho de pesquisa etnográfica realizado ao longo dos últimos três anos permite perspectivar, a partir das inflexões pessoais e colectivas da experiência vivida do desemprego e da precariedade, o modo como a «crise económica» afectou o processo de formação quotidiana das classes laboriosas ([2]). Ao contrário das explicações eruditas e ordinárias da «crise», dessas «em que o gelo está polido, falta o atrito e, em certo sentido, as condições são ideais», mas que mais não fazem senão reforçar a invisibilidade da dominação social, este artigo pretende concretizar, em termos que recusam uma visão descontextualizada e des-incarnada do mundo social, um «regresso à terra áspera» ([3]).

A reestruturação económica em curso nesta região, motivada pela intensificação da concorrência internacional e pela contracção financeira dos mercados, parece ter vindo a justificar a adesão, por parte das instâncias patronais, a uma versão vulgarizada da «ideologia racio-

---

([2]) O ponto de vista aqui adoptado é o de que a «crise» constitui, simultaneamente, um «domínio de confronto ideológico» e um «espaço prático e simbólico de socialização» – cf. Virgílio Borges Pereira, «Memórias sobre o esquecimento do mundo. Dois breves apontamentos sobre a crise enquanto operador prático-simbólico numa freguesia industrializada do Vale do Ave», *Cadernos de Ciências Sociais*, n.° 19-20, 2000, pp. 141-167.

([3]) Ludwig Wittgenstein, *Tratado Lógico-Filosófico - Investigações Filosóficas*, § 107, Fundação Calouste Gulbenkian, Lisboa, 2001, pp. 255-256.

nal» neoliberal. O efeito de realidade desses programas privados (e públicos) de «modernização» e «inovação» tem sido assegurado pela mobilização de uma «tecnologia portátil» ([4]) de medidas de «flexibilização» e «eficiência» das empresas e dos mercados, em tudo semelhantes a outras iniciativas politicamente dirigidas que têm vindo a ser implementadas a nível internacional. Em termos concretos, este processo de ajustamento estrutural, por força da ausência local de «factores de competitividade», traduziu-se num processo de destruição maciça de emprego industrial, na diminuição relativa (e ocasionalmente absoluta) das remunerações salariais e das margens de lucro, e na perfilhação de formas de «empreendedorismo em estado prático» dirigidas para a maximização da «produtividade». Entre 2001 e 2010, o contingente de trabalhadores desempregados nos seis concelhos que constituem esta região passou de 6593 para 20 962 indivíduos, crescendo mais de 200% em dez anos.

Por seu lado, a introdução dessas políticas de gestão empresarial nos espaços produtivos, através da introdução de novas modalidades de controlo do processo de trabalho (a «pressão» hierárquica, a atribuição de «objectivos» individualizados, a mecanização e formalização dos procedimentos de trabalho), da flexibilização das

---

([4]) Aihwa Ong, «Neoliberalism as a Mobile Technology», *Transactions*, n.º 31, 2006, pp. 1-6.

relações laborais e dos horários de trabalho e, ainda, da intensificação dos ritmos produtivos (*«aperto»*), veio transformar o espaço físico e social da fábrica. Para os trabalhadores que incarnam o *«jeito»*, a *«pranta»* e a *«fama»*, as condições de felicidade são comprometidas assim que essas deixam de ser «qualidades» económica e simbolicamente eficazes. Especialmente para os segmentos do operariado mais expostos à usura física e à obsolescência das aptidões técnicas incorporadas («desactualizados», «ultrapassados», «esgotados»), a deterioração das condições de eficácia e plausibilidade de um determinado modo de fazer (a *«arte»*), que era ainda um modo de ser, proporcionou uma exposição acrescida a experiências de negação e desafiliação (*«não há amizades lá dentro»*, *«tentam prejudicar-se uns aos outros»*).

A desvalorização objectiva do «valor» dos operários é interiorizada e vivida em termos de contínua inferiorização social e como perda das possibilidades de afirmação de si. Para muitos destes trabalhadores, a insegurança económica e a estigmatização moral experimentadas nos locais de trabalho (*«estão sempre com ameaças»*, *«não temos formação»*) tornam verosímeis a sensação difusa de exposição constante à ameaça ou à malícia («azar», «medo», «inveja») e os sentimentos penetrantes de ofensa e degradação («perda de respeito», «vergonha»). Porque a «confiança» é simultaneamente uma «crença» e um «crédito», a «desconfiança» sentida e pressentida por estes operários nos locais de trabalho traduz-se no desmantelamento da reciprocidade de «graças» e «dons» nas relações pessoais (*«agora não se pode confiar em ninguém»*, *«o filho do patrão agora só pensa em números»*). Estas formas de pensamento e sentimento têm por si a evidência da realidade, como se percebe pelas palavras de Adelino, 63 anos, ajudante de maquinista e antigo entalhador:

> *«O pessoal agora está todo assim, todo enervado, é nas fábricas, é nos cafés, é tudo, está tudo enervado, por causa do sistema [em] que está tudo caro, a vida está muito difícil, está tudo caro! E anda tudo sobressaltado e depois não se perdoam uns aos outros, depois tem problemas de casa e vão para os cafés, tem problemas de casa vão para as fábricas, os problemas das fábricas traz para casa (...). Andam todos... É como cães uns com os outros e isso não dá nada! (...) Quer dizer, as pessoas metem-se muito na vida dos outros, é um problema. (...) Aqui há esta inveja uns com os outros, estes problemas. Inveja! Inveja é de um ter um carro melhor que o outro, de um fazer uma casa e o outro não fazer, mas isso é a nível de lá assim do que se tem e não tem. É a tal coisa, é um veneno, é a tal coisa, é assim. É como se costuma dizer, estás com inveja de eu ter uma camisola... não me podes ver com a camisa lavada, é assim!»*

Além da mais óbvia privação económica, o «fim do trabalho», ao suspender o universo de indicações e incitações que organizava a existência social destes operários (*«o tempo parece que não passa»*), ameaça comprometer a inquestionabilidade da própria realidade do mundo (*«um gajo fica sem chão debaixo dos pés», «fica-se descalhado», «estranhamento», «ando sempre desconfiado»*). Embora tratando-se de ocupações globalmente caracterizadas por reduzidas compensações salariais e por condições de trabalho duras e coercivas, elas parecem ter suportado «práticas de integridade pessoal», permitindo investimentos prudentes e realistas no futuro (*«levar a vida»*) e assegurando um estatuto viril e virtuoso socialmente reconhecido (*«ser alguém»*). Ao desvincular estes trabalhadores das condições práticas de realização da estima de si (*«aprendi a arte e sou o que sou hoje»*), fazendo aparecer em seu lugar um insólito espaço de solicitações e constrangimentos (*«freimas», «consumições»*), o desemprego tende a constituir-se como processo de des-socialização (*«eu antes queria estar a trabalhar, não me dou assim parado, muitas vezes fico… até parece que ando doente»*). Paulatinamente, a partir do mesmo corpo que era a expressão mais imediata e instrumento mais «natural» da posse de uma «arte», ocorre a reversão de todo o percurso de aquisição e afirmação de um sentido de si enquanto «homem» e «artista» (*«sinto-me acabado», «estou sempre cansado»*). A vivência destas circunstâncias é expressivamente revelada por Zeferino, 51 anos, antigo trabalhador de acabamentos numa fábrica de mobiliário, que estava desempregado há oito meses na altura da nossa conversa:

> *«É chato uma pessoa, ao fim de tantos anos, puxar como puxou até agora e agora "ah, vocês já estão cansados, isto e aquilo, a idade já é um bocado avançada…" A gente fica assim a pensar… (…) Um gajo sente-se…* [Pergunta para si mesmo] *Como é que a gente se sente? Sente-se um bocado acabado. Até agora servia e agora de um momento para o outro já não serve porquê? Uma pessoa se não fosse… se não gostasse do trabalho, vá lá, pronto, já era malandro continuava a ser, agora um gajo assim, não… É como eu tenho dito já a muitos, e é verdade, "quer dizer, eu agora com esta idade vou passar a malandro?, quer dizer, eu já não sirvo para nada?" (…)* [Pergunto-lhe o que tem sido para ele estar parado] *Não sei se é o sistema nervoso ou o que é… começo-me… não estou bem, não me sinto bem… Sinto o corpo a tremer… Não posso explicar… Não tem explicação o que é estar parado.»*

Embora seja dificilmente articulável pela enunciação explícita (*«não há palavras»*, *«nem gosto de pensar»*), a experiência do desemprego não permanece, todavia, opaca: revela-se, a partir da substância do corpo próprio, nos *«nervos»*, nas *«freimas»*, no *«desânimo»*. Efectivamente, a deterioração da relação de familiaridade com o mundo e o corpo (*«desajustei-me»*, *«desabituei-me»*, *«confusão»*), a mortificação da vontade e do desejo *(«não dá gosto nenhum»)* e as experiências de objectificação (*«ando a arrastar-me»*, *«andava ali aos empurrões»*) provocadas pelo desemprego não recorrem simplesmente a um vocabulário de metáforas corporais. Expressões silenciosas de sofrimento e tensão, a *«azia»* e o *«ardor no estômago»*, a *«cabeça quente»* e a *«pontada no coração»*, o *«ficar em baixo»* e o *«perder o gosto»* são realmente mediações carnais dos processos de fragilização objectiva do «valor» destes operários. As circunstâncias de negação experimentadas no desemprego são, em sentido literal, visceralmente interiorizadas e fisiologicamente reveladas [5].

A concretização do acesso à propriedade («casa» e «carro»), geralmente recorrendo previamente ao crédito bancário, desafiando «atitudes» e «interesses» económicos tradicionalmente marcados pelo realismo e pela prudência, veio amplificar o potencial de frustração associado à crescente vulnerabilidade profissional e social do operariado industrial *(«as ambições tornaram-se consumições»)*. A aquisição de visibilidade social, logo, de valor socialmente reconhecido, está dependente da posse e ostentação de «qualidades» que caucionem a «honra social». Progressivamente, as modalidades de estilização da vida intermediadas pelo mercado e realizadas pelo consumo («roupas», «carros», «saídas») passam a concorrer, para a produção de notoriedade social, com as práticas de sociabilidade e as formas de prestígio autoctonamente realizadas (a «equipa da bola», «a festa da terra», a «fama», os «conhecimentos»). A possibilidade de aceder a estas «novas»

---

[5] Ver Simon Charlesworth, *A Phenomenology of Working Class Experience*, Cambridge, Cambridge University Press, 2000.

formas de reconhecimento parece estar exclusivamente condicionada pelo acesso ao «dinheiro», percebido como força social omnipotente e medida de todas as coisas. Numa conjuntura propensa a vulnerabilizar as condições de existência do operariado, estas pretensões tendem a produzir estados de (pré-)tensão. Manuel, 42 anos, marceneiro, trabalha desde os 12 anos, «deve a casa ao banco»:

«Eu se tiver uma doença, estamos desgraçados! Estamos desgraçados! Não há nada, não há tostão! Não há tostão! Nada! Se tiver uma doença, eu, eu nem quero… eu penso, eu nem quero pensar, mas eu penso muito nessas coisas e é por isso que eu emagreci, eu emagreci para aí dez quilos ou mais. Emagreci! Desde que vim para aqui [refere-se à nova casa]*! Não é, não é de tirar à boca* [i.e. fome]*, graças a Deus, mas é, é cismas da cabeça. É a cabeça sempre a trabalhar. Tanto é, olha, rapaz…* [segura, nos dedos, uma madeixa de cabelos brancos] *Das freimas… (…) Tenho o pé sempre atrás, sempre cheio de medo! Da maneira que isto anda, é como eu digo, da maneira que isto anda, isto… não sei o dia de amanhã. É que uma pessoa não sabe o dia de amanhã da maneira que isto anda. Isto hoje está assim, mas amanhã pode estar pior, e depois? Fica-se sem nada? Fica-se… o que pagou, fica sem nada? Fica sem a casa, fica sem… É verdade! Fica-se sem nada mesmo! E eu, eu… a minha cabeça, é como eu digo, está sempre a trabalhar nessas coisas, sempre a trabalhar nessas coisas! Está difícil, a vida está difícil mesmo! (…) Agora uma pessoa dá fé, cai tudo em cima do corpo.*

Sinto-me cansado. Eu, eu, neste momento, eu sinto-me cansado. Sinto-me cansado mesmo! Não sei se é da cabeça, se é de pensar na vida... às vezes, eu saio da cama, de manhã, cansado, mais cansado do que aquilo que vou para a cama».

O fatalismo pessimista *(«medo do futuro»)* é produto da absorção de um sentido do tempo coerente com uma situação social e económica precária *(«não se tem o futuro certo»)*. A austeridade, a renúncia e a continência, nas práticas e mesmo na imaginação *(«não vale a pena estar a antecipar»)*, são expressões de uma insensível acomodação das aspirações às probabilidades da sua realização. A compressão temporal dos projectos *(«o meu futuro é viver o dia a dia»)*, o retraimento da amplitude das expectativas *(«não vale a pena estar com grandes ambições»)* e o próprio confinamento sociabilitário *(«fecho-me em casa»)* constituem, todos eles, modos implícitos e razoáveis de preservar a autonomia pessoal e familiar perante a hostilidade imanente à «crise». A contracção do sistema de oportunidades económicas acessíveis e plausíveis a este operariado projecta-se sobre a sua própria percepção e sensibilidade, concretizando uma restrição afectiva e sensorial («perder o gosto» ao «trabalho», à «comida» ou ao «convívio»), que, muitas vezes, é somente alcançada através de exercícios mais ou menos voluntários de obnubilação *(«cansa-me pensar na vida»*, por isso, *«faço por me esquecer»)*.

O TRABALHO
EM CENTROS COMERCIAIS:
NOTAS SOBRE UMA
PESQUISA EMPÍRICA

Por **SOFIA ALEXANDRE CRUZ** (*)

O universo dos centros comerciais constitui uma realidade pouco conhecida, embora seja aparentemente muito familiar para quem a frequenta na qualidade de consumidor ou mero visitante. O consumo está fortemente associado a estes espaços, sendo variado o leque de serviços oferecidos no seu interior. Apesar de existirem análises sobre o centro comercial na óptica das práticas consumidoras, não tem havido investigação sobre a dimensão laboral que o atravessa, em particular sobre quem trabalha nas suas lojas. Esta constatação e

---

(*) Faculdade de Economia e Instituto de Sociologia da Universidade do Porto. sacruz@fep.up.pt

as conclusões de um projecto anterior ([1]) em muito contribuíram para realizarmos a pesquisa sobre o trabalho nas lojas de vestuário e restauração nos centros comerciais ([2]).

O centro comercial mobiliza uma proporção significativa e diversa de mão-de-obra que se distribui por áreas funcionais distintas. No âmbito da investigação realizada centrámo-nos no estudo das lojas de vestuário e restauração, por dois tipos de razões. Por um lado, porque absorvem em termos globais as maiores áreas em metros quadrados locáveis nos centros comerciais, como o atestam os três últimos anuários produzidos pela Associação Portuguesa de Centros Comerciais (APCC) ([3]). Por outro, porque congregam os maiores contingentes de trabalhadores.

Neste artigo analisamos em grandes linhas o contexto organizacional do centro comercial e os trabalhadores das lojas de vestuário e restauração, procurando enquadrar o fenómeno da precariedade laboral.

([1]) Sofia Alexandra Cruz *Entre a Casa e a Caixa. Retrato de Trabalhadoras na Grande Distribuição*, Afrontamento, Porto, 2003.

([2]) Sofia Alexandra Cruz, *O Trabalho nos Centros Comerciais*, Afrontamento, Porto, 2010.

([3]) APCC (2004, 2005, 2006), *Anuário*, APCC.

Os centros comerciais

O formato do centro comercial reflecte uma estratégia de organização funcional e espacial das actividades, que visa concentrar a oferta comercial e ir ao encontro das necessidades do público consumidor. Se em Portugal o centro comercial é relativamente recente, tal não sucede noutros países em que o mesmo teve origem. A este respeito, importa ter presente a ausência de consenso quanto ao local exacto do surgimento desta realidade comercial. Há quem a localize nos EUA, enquanto outros a localizam na Europa. A forma de ultrapassar estas divergências que, frequentemente, pouco contribuem para a sua análise, passa por contemplar a diversidade de formas que esta designação alberga ([4]), reconstituindo, assim, a variedade de experiências que lhe estão associadas. No caso português, o processo de implantação dos centros comerciais e as suas fases diversas evidenciam mudanças no decurso do tempo, ao nível, por exemplo, da localização, dimensão, arquitectura e *design*, dos promotores, e também do *mix* comercial. Os centros comerciais constituem uma realidade singular no

---

([4]) Herculano Cachinho, *O Comércio Retalhista Português na (Pós)-Modernidade Sociedades, Consumidores e Espaço*, Tese de Doutoramento, Lisboa, FLUL, 1999.

contexto do sector imobiliário de retalho [5] que envolve, para além das entidades promotoras e gestoras, os lojistas e ainda o público consumidor encarado como fundamental para a viabilidade comercial e financeira dos negócios aí existentes.

As lojas de restauração e vestuário dos centros comerciais correspondem a estruturas organizacionais com lógicas de funcionamento particulares. Muitas operam em regime de *franchising* – acordos em que a empresa *franchisadora* cede à *franchisada* o direito de comercialização de certos produtos e serviços dentro de um âmbito geográfico determinado e sob certas condições, em troca de uma compensação económica directa ou indirecta –, que comporta necessariamente consequências para os trabalhadores, pois há exigências de produtividade ditadas por tais contratos e adicionalmente pelo regulamento interno do centro comercial.

A precariedade laboral e os trabalhadores das lojas de vestuário e restauração

O fenómeno da precariedade laboral é uma realidade para a mão-de-obra que trabalha nas lojas de vestuário

---

[5] João Carvalho, *Gestão de Centros Comerciais*, Vida Económica, Porto, 2006.

ENTRE A FÁBRICA E O *CALL CENTER*

e restauração estudadas na pesquisa [6]. Procurámos perspectivá-lo na linha proposta pelo sociólogo francês Serge Paugam [7]. No seu modelo de análise o emprego e o trabalho constituem duas dimensões fundamentais do processo de integração profissional. O emprego significa uma garantia dos direitos sociais, decorrente de uma relação contratual estável e duradoura, enquanto o trabalho possibilita aos trabalhadores o exercício de tarefas motivadoras, bem remuneradas e reconhecidas pela organização. Em contextos de precariedade laboral estas características são postas em causa. A precariedade do trabalho remete para a realização de uma actividade que gera sentimentos de insatisfação, de inutilidade social e no limite de alienação. Já a precariedade do emprego refere-se à instabilidade e insegurança provocadas pela fragilidade do vínculo contratual. A partir da explicitação dos quatros tipos de integração profissional construídos pelo sociólogo francês, caracterizamos algumas situações laborais encontradas nas lojas de vestuário e de restauração contempladas na pesquisa [8].

---

[6] Sofia Alexandra Cruz, *O Trabalho nos Centros Comerciais*, Afrontamento, Porto, 2010.

[7] Serge Paugam, *Le Salarié de la Précarité. Les Nouvelles Formes de l'Intégration Professionnelle*, PUF, Paris, 2000.

[8] Sofia Alexandra Cruz, *O Trabalho nos Centros Comerciais*, Afrontamento, Porto, 2010.

A *integração assegurada* compreende situações em que os indivíduos se sentem satisfeitos no trabalho e estáveis no emprego. Na maior parte dos casos analisados tal satisfação resulta de uma rede privilegiada de relacionamentos sociais com colegas e superiores hierárquicos na loja, que acaba por minimizar o impacto negativo de ritmos de trabalho acelerados, particularmente evidentes nas lojas de restauração de *fast-food* [9]. A existência de um vínculo contratual estável faz com que se difunda um sentimento de segurança bastante valorizado entre estes trabalhadores. Trata-se de mão-de-obra com níveis de antiguidade elevados nas lojas de restauração e vestuário.

A *integração incerta* reflecte uma situação de satisfação no trabalho e de instabilidade no emprego. Engloba casos em que os indivíduos se sentem satisfeitos com o trabalho e o ambiente laboral, possuindo todavia uma relação contratual frágil e instável. Esta relação contratual compreende a existência de contratos a termo e níveis de remunerações relativamente baixos, que não excedem em muito o salário mínimo nacional de 403,00 euros

---

[9] Na pesquisa empírica realizada construímos uma tipologia de lojas de restauração que contempla três formatos: lojas de restauração *fast-food*, lojas de restauração clássica e lojas de restauração mista. A tipologia das lojas de vestuário é constituída pelas lojas de *self-service* e de atendimento personalizado (Sofia Alexandra Cruz, *O Trabalho nos Centros Comerciais*, Afrontamento, Porto, pp. 197-224, 2010).

estipulado pelo Decreto-lei n.º 2/07 de 3 de Janeiro. É nesta categoria que se enquadram os trabalhadores-estudantes, um segmento particularmente representado no universo laboral das lojas de restauração e vestuário. A situação de transitoriedade biográfica que caracteriza a condição de estudante acaba por minimizar os efeitos negativos da natureza contratual precária, algo que não se regista junto dos indivíduos que apenas trabalham. É de salientar que esta situação transitória pode significar uma fase temporária, mas pode traduzir também o início de um futuro incerto e precário [10]. Este último facto é particularmente ameaçador para uma população estudantil que possui trajectórias sociais desprivilegiadas e entradas precoces no mundo de trabalho, onde as bolsas de oportunidades se concentram em actividades sem grandes exigências profissionais e escolares e com condições de trabalho precárias.

A *integração laboriosa* remete para a existência de sujeitos globalmente insatisfeitos com o trabalho, mas com situações contratuais seguras. Nesta modalidade, os trabalhadores desempenham tarefas muito penosas, fonte de perturbações físicas e psicológicas que traduzem a ideia da usura não se limitar ao período de trabalho, mas estender-se a outros momentos das suas vidas. Níveis de

---

[10] Zigmunt Bauman, *Trabajo, consumismo y nuevos pobres*, Gedisa, Barcelona, 2003.

pressão elevados suscitados pela relação com o cliente, ritmos laborais acelerados e irregularidade de horários contribuem para a insatisfação no trabalho. Porém, esta última é atenuada pela situação estável no emprego, particularmente valorizada pelos trabalhadores num contexto que consideram instável e ameaçado pelo desemprego.

Finalmente, a *integração desqualificante* conjuga insatisfação no trabalho e instabilidade de emprego e corresponde a uma situação de dupla precariedade laboral (trabalho e emprego). Em oposição à modalidade anterior, não permite que o sofrimento causado pelo trabalho seja minimizado pela via da estabilidade do emprego, pois esta é inexistente. Tal integração ao ameaçar as referências identitárias dos trabalhadores promove no limite a proliferação de biografias de risco [11], onde os percursos individuais se tornam irregulares e inseguros [12]. Podemos enquadrar nesta modalidade de integração pro-

---

[11] Ulrich Beck, *The Brave New World of Work*, Polity Press, Oxford, 2000.

[12] A individualização do risco é uma proposição fundamental na modernidade tardia (Anthony Giddens, *The Consequences of Modernity*, Polity Press, Cambridge, 1990; Ulrich Beck, *The Risk Society*, Sage, London, 1992). A individualização do risco no mercado de trabalho dos jovens pode ser analisada segundo duas vias (Melinda Mills, "Demand for flexibility or generation of insecurity? The Individualization of risk, irregular work shifts and Canadian youth", *Journal of Youth Studies*, n. 2, vol. 7, June, 2004, pp. 115-139). A primeira refere que os jovens têm mais liberdade para escolher e que pretendem empregos

fissional os trabalhadores em situações de dupla ocupação laboral justificadas pelas fracas remunerações e pela insatisfação no trabalho.

Desta breve reflexão, é pertinente sobrelevar a natureza multidimensional da precariedade laboral e perspectivar as suas consequências no espaço social de trabalho, como nas vivências em outras esferas da vida dos trabalhadores. As condições precárias de trabalho, de emprego e de vida podem perpetuar ou ampliar desigualdades já existentes ou mesmo contribuir para a emergência de novas franjas sociais desprivilegiadas.

A análise da actividade de trabalho nas lojas de vestuário e restauração permite enquadrar realidades organizacionais marcadas por práticas de gestão altamente competitivas que emanam de lógicas globais dos mercados da restauração, do comércio de vestuário e dos centros comerciais. Independentemente da implantação nacional das lojas e dos centros comerciais, a configuração de tais práticas é a mesma internacionalmente. A ideologia gestionária do novo espírito capitalista [13]

---

flexíveis que se ajustem ao seu estilo de vida. Na sociedade de risco, a capacidade de planear é difícil e imprevisível e os jovens sentem que o risco é apenas negociável a nível individual. A segunda sublinha que a flexibilidade do mercado de trabalho é encarada como uma estratégia defensiva dos empregadores ou do Estado.

[13] Luc Boltanski; Eve Chiapello, *Le Nouvel Esprit du Capitalisme*, Gallimard, Paris, 1999.

promove a ideia de que todos devem estar sempre a dar o máximo, encontrando-se física e emocionalmente envolvidos na prossecução dos mesmos objectivos. O fenómeno do *franchising* analisado constitui exemplo paradigmático disso. A realidade laboral dos trabalhadores das lojas de vestuário e restauração dos centros comerciais analisados pode ser encarada como um reflexo do contexto de globalização das sociedades contemporâneas. Trata-se de uma globalização que rompe com fronteiras económicas, financeiras, políticas e culturais e que consequentemente surte efeitos nas formas de organizar o trabalho e o emprego.

UM CENTRO COMERCIAL
NÃO É UM CENTRO COMERCIAL

Por **RAHUL KUMAR** (*)

A Portaria n.º 424/85 de 5 de Julho de 1985 define o centro comercial como o «empreendimento comercial que reúna cumulativamente os seguintes requisitos: 1. possua uma área bruta mínima de 500m^2 e um número mínimo de doze lojas, de venda a retalho e prestação de serviços, devendo estas, na sua maior parte, prosseguir actividades diversificadas e especializadas; 2. todas as lojas devem ser instaladas com continuidade num único edifício ou em edifícios ou pisos contíguos e interligados, de modo a que todas usufruam de zonas comuns privativas do centro pelas quais prioritariamente o público tenha acesso às lojas implantadas; 3. o conjunto do empreendimento tem de possuir unidade de gestão, entendendo-se por esta a implementação, direcção e coordenação dos

---

(*) Sociólogo, doutorando no ICS-UL.

serviços comuns, bem como a fiscalização do cumprimento de toda a regulação interna; 4. o período de funcionamento (abertura e encerramento) das diversas lojas deve ser comum, com excepção das que pela especificidade da sua actividade se afastem do funcionamento usual das outras actividades instaladas».

A definição jurídica de centro comercial pouco nos indica sobre «o que é um centro comercial», o que lá se passa e a forma como isto influencia o que acontece em seu redor. Os números podem dar-nos uma ajuda suplementar. Fundada em 1984, a Associação Portuguesa de Centros Comerciais (APCC) conta actualmente com 65 associados que representam um total de 98 centros comerciais em operação, com uma área bruta locável (ABL) total de 2 416 519 metros quadrados. Segundo a APCC, «os centros comerciais associados integram 8288 pequenos e grandes comerciantes, representando 70 000 postos de trabalho directos e 205 000 indirectos». Estes números só adquirem significado se comparados com outros, reveladores da composição mais complexa do universo dos centros comerciais. De acordo com um agregado de dados do Instituto Nacional de Estatística e do Observatório do Comércio, em 1999 existiam 745 centros comerciais, com 28 760 estabelecimentos inventariados, dos quais 74,3 por cento estavam em funcionamento, correspondendo a estes espaços cerca de 20 por cento do pessoal a trabalhar no comércio a retalho. Na sua esmagadora maioria tratava-se de pequenos centros comerciais – neste universo eram, em 2001, cerca de 39 os centros comerciais com mais de 100 lojas e 323 as unidades que agrupavam entre 12 e 25 estabelecimentos ([1]).

Nos últimos anos temos assistido à expansão do modelo do grande centro comercial moderno para os subúrbios e periferias das Áreas Metropolitanas de Lisboa e Porto. A sua implementação nas pequenas e médias cidades do país tem sido igualmente imparável. Um dos aspectos mais relevantes deste processo de expansão é a concentração dos principais e maiores centros comerciais num número reduzido de grupos económicos. Em 2009, a Sonae Sierra, integrante do grupo Sonae, possui em todo o mundo 52 centros comerciais, correspondentes a 2,1 milhões de metros quadrados de ABL e 8455 contratos com lojistas. Dos centros comerciais do grupo, vinte localizam-se em Portugal, sem contar com dois novos espaços já projectados (Caldas da Rainha e Leiria). Estes vinte espaços totalizam cerca de 800 000 metros quadrados de ABL e 2981 contratos com lojas. Entre os centros já abertos podemos encontrar, além de Lisboa e Porto, espaços em cidades como Viana do Castelo, Guimarães, Covilhã ou Albufeira. Nas periferias de Lisboa e Porto, o grupo tem centros comerciais em São João

---

([1]) Dados disponíveis retirados do relatório «O perfil das grandes unidades comerciais em Portugal», www.dgcc.pt/166.htm#15.

da Madeira, Maia, Vila Nova de Gaia, Loures, Cascais e Seixal.

Números igualmente impressionantes descrevem a actividade dos outros grandes grupos que gerem centros comerciais em Portugal: o Chamartín Retail, ligado aos centros comerciais Dolce Vita, conta com dez unidades em Portugal; o grupo Mundicenter, proprietário de sete centros comerciais, entre os quais o Centro Comercial das Amoreiras, o primeiro grande centro comercial em Portugal, inaugurado em 1985; o Multi-Mall Management, responsável pela gestão de 15 centros comerciais, nomeadamente os «Fóruns» (Almada, Montijo, Sintra, Setúbal, Aveiro, Viseu, Coimbra e Castelo Branco, por exemplo), e que aposta em cidades afastadas dos dois grandes centros urbanos do país. Verificamos assim que nos últimos anos, e apesar da crise internacional, não tem cessado o crescimento dos grandes espaços comerciais nas principais cidades do país, nos seus subúrbios e até mesmo nas cidades secundárias.

Do comércio tradicional
aos grandes grupos internacionais

Desde a inauguração das Amoreiras à abertura do Colombo, possivelmente os dois grandes marcos da forma centro comercial em Portugal, muita coisa mudou nos

ENTRE A FÁBRICA E O *CALL CENTER*

hábitos de consumo e práticas culturais da população residente. Se de início a revolução cultural imposta pelos centros comerciais parecia afectar essencialmente o modo de fazer compras, essas implicações estender-se-iam a outros planos da vida. É frequente a crítica ao impacto que os centros comerciais tiveram no espaço público, nos regimes de vigilância que gradualmente vão naturalizando, ou ainda enquanto reflexo de um ambiente pasteurizado e asséptico [2]. Para muitos cidadãos-consumidores eles não deixam, porém, de se apresentar como um símbolo de modernidade e afluência. Um espaço de conforto que em tempos de horários flexíveis permitem aceder a bens e serviços fora das regras impostas pelo chamado comércio tradicional. É, todavia, necessário não confundir a generalidade dos pequenos centros comerciais de bairro com os grandes espaços que se tornam pólos de atracção regionais, nacionais e até mesmo internacionais. Neste sentido, e retomando o nosso ponto de partida, um centro comercial não é necessariamente um centro comercial. O Centro Comercial da Pontinha, concelho de Odivelas, pouco terá em comum com o Colombo, situado a poucos quilómetros de distância.

---

[2] Veja-se, por exemplo, Miguel Silva Graça, «A cidade, o admirável mundo novo do consumo e as suas catedrais», *Vírus*, n.º 4, Agosto-Setembro de 2008, disponível em www.esquerda.net/virus/index.php?option=com-content&task=blogcategory&id=16&Itemid=27.

Mas mesmo entre centros comerciais de dimensão semelhante, como será o caso do Babilónia (190 lojas) na Amadora, às portas de Lisboa, inaugurado em 1984, ou o Maia Shopping, numa cidade satélite do Porto, observam-se diferenças relevantes. Não somente na arquitectura do centro ou na organização do espaço, mas também no tipo de estabelecimentos que aí podemos encontrar. No Babilónia, e olhando apenas para a secção de roupa feminina, encontramos estabelecimentos como Aradus, Boutique Quatro, Confecções Milú ou Iracema – malhas e confecções. No Maia Shopping estão presentes marcas internacionais como Mango, Bershka ou Pull and Bear. Mesmo se à porta do Babilónia, localizado entre a estação de comboios da Amadora e a principal rua do concelho, podemos encontrar lojas da Zara ou da Mango, no interior do centro deparamo-nos essencialmente com aquilo que podemos designar como comércio tradicional, ainda que localizado no interior daquele que foi durante anos um dos principais centros comerciais da Grande Lisboa. Depois do Colombo, a abertura do Dolce Vita Tejo, o maior centro comercial do país, inaugurado em Setembro de 2009 a poucos quilómetros do primeiro, veio colocar uma pressão acrescida sobre os pequenos comerciantes do Babilónia.

Nestes últimos grandes centros comerciais, os custos de entrada para um comerciante (por exemplo, uma loja de 30 metros quadrados no Dolce Vita custaria perto de

110 mil euros a fundo perdido, acompanhados de uma renda mensal de 4000 euros) e os critérios estéticos exigidos (definição da decoração e cores dominantes nas lojas) são bastante mais rígidos do que nos espaços mais pequenos, assim como o regime de gestão das lojas. No Babilónia, a renda de uma loja de 16 metros quadrados, bem localizada, ronda os mil euros. Para termos uma ideia do impacto dos grandes centros comerciais nestas pequenas superfícies, podemos referir o exemplo de um empresário que possui uma rede de lojas nos centros comerciais da zona de Lisboa. Em 1999 trespassou o já referido espaço no Babilónia por cerca de 40 000 euros. Em 2009, quando encerrou o estabelecimento, conseguiu trespassá-lo por 10 000, tendo-se mudado para o novo espaço do Dolce Vita. Não são todos, porém, os que conseguem fazer a transição.

Uma outra diferença crucial diz respeito aos regimes de trabalho que imperam nestes espaços. As grandes superfícies são, à semelhança do que há pouco tempo vimos acontecer na inauguração de um *call center* em Viseu, apresentados pelo poder político e pela comunicação social como projectos de modernidade, espaços de lazer e cultura e pólos de emprego. Resta saber que tipo de emprego oferecem.

Dois modelos de precariedade

Nos últimos anos, o termo precariedade tem ganho alguma visibilidade nas análises sobre o trabalho, estabelecendo-se como uma alternativa ao conceito de flexibilidade, mais do agrado do patronato do que dos trabalhadores. Se os *call centers* têm estado em destaque nos debates sobre o trabalho precário, e muitas vezes pouco qualificado, exercido em condições bastante duras, no caso dos centros comerciais essa realidade é apagada pelo efeito gerado pela sua centralidade no lazer contemporâneo [3]. Mesmo tratando-se muitas vezes de trabalho mal remunerado, precário, pouco qualificado e muitas vezes rotineiro, o universo dos centros comerciais não deixa de representar para determinados grupos sociais uma alternativa às saídas profissionais socialmente mais desqualificadas, como a construção civil ou o trabalho doméstico.

Para muitos trabalhadores, ao contrário do que acontecia com a fábrica, ou continua a acontecer com o *call center* ou o escritório, o centro comercial não é somente o espaço de trabalho. Torna-se o eixo em torno do qual gira boa parte da existência – o lazer, o consumo e as sociabilidades –, facto que certamente poderá ser útil na

---

[3] Veja-se o artigo de Sofia Cruz, «O trabalho em centros comerciais», *Le Monde diplomatique – edição portuguesa*, Julho de 2009.

ENTRE A FÁBRICA E O *CALL CENTER*

explicação das baixas taxas de sindicalização dos trabalhadores do centro comercial. De acordo com dados de um inquérito efectuado pelo sindicato de Trabalhadores do Comércio, Escritórios e Serviços de Portugal (CESP), em 2007, aos trabalhadores dos centros comerciais da Área Metropolitana do Porto, apenas 21 por cento confirmou ser sindicalizado.

As condições de trabalho podem ajudar a explicar estes valores e a atomização dos conflitos laborais nos novos centros comerciais. Entre os trabalhadores que responderam ao inquérito, 43 por cento encontram-se em situação precária ou ilegal. A maioria dos trabalhadores faz 40 horas semanais, sendo que 9,5 por cento fazem mais de 40 horas; 8,8 por cento trabalham a tempo parcial. Em média, a remuneração de um trabalhador a tempo inteiro é de cerca de 490 euros. Além dos baixos salários e da ausência de vínculos estáveis, os horários rotativos e flexíveis são uma dimensão central no fraco interconhecimento que os trabalhadores possuem entre si. Por outro lado, as elevadas taxas de rotação e fracas possibilidades de mobilidade profissional levam a que em muitos casos o trabalho no balcão de uma loja seja visto como um emprego temporário rumo a outra coisa qualquer, mesmo que essa situação acabe por se eternizar no espaço do centro comercial, com sucessivas mudanças de loja. Um outro dado saliente no trabalho em centros comerciais é a elevada taxa de feminização, como mostra um estudo de 2000, encomendado pelo Observatório do Comércio, intitulado «Emprego e Empregabilidade no Comércio» (⁴). A transformação do perfil dos trabalhadores dos centros comerciais indica as mudanças que se observam nos regimes laborais: a passagem de um modelo paternalista a um modelo assente na precarização da mão-de-obra.

A precariedade é a regra nos dois modelos de exploração de centros comerciais, sendo praticada nos pequenos espaços e nas grandes superfícies. No entanto, neste quadro de precariedade geral, o tipo de relação entre patronato e trabalhadores diferencia-se nos dois modelos identificados.

Entre «velhos» e «novos» trabalhadores do centro comercial observamos diferenças fundamentais: a redução da idade média, o tipo de apresentação pessoal exigido para trabalhar numa loja e a diversificação da nacionalidade dos trabalhadores, com a entrada em grande número de trabalhadores imigrantes em quase todos os sectores dos centros comerciais. No comércio tradicional dos velhos centros comerciais predominavam as relações de confiança de longa duração entre trabalhadores e patrões, com o necessário aumento de idade das trabalhadoras. Ligações muitas vezes sublinhadas com relações

---

(⁴) Disponível no sítio da Direcção-Geral da Concorrência e do Comércio, www.dgcc.pt/166.htm#15.

familiares, mesmo que distantes. Neste modelo relacional, a fuga ao fisco, às obrigações com a segurança social e a inexistência de contratos de trabalho, não sendo a regra, não eram incomuns.

Com a massificação dos centros comerciais e a transformação dos modelos empresariais, essas relações alteram-se também, é necessário referir, pelo efeito de alguma pressão sindical. Neste contexto, as inspecções da Direcção-Geral do Trabalho acabaram por ter os seus resultados. A quase totalidade dos trabalhadores dos centros comerciais possui contratos de trabalho, por precários que sejam, e boa parte dos imigrantes viram a sua situação legalizada, fruto dessa pressão fiscalizadora. O problema continua a colocar-se nos subterfúgios patronais, nas relações de poder e nas imposições às quais dificilmente os trabalhadores conseguem resistir. Os exemplos são mais que muitos: estrangeiros que são praticamente «forçados» a trabalhar, fruto das regras para a renovação dos títulos de residência; empregadas de balcão, de origem estrangeira, que para sustentar a família fazem 14 horas por dia, seis dias por semana, e a quem não são pagas horas extraordinárias (e isto com contratos onde se declaram salários mínimos); horários nocturnos que não são pagos; despedimentos sem justa causa e sem qualquer explicação prévia.

A expansão de um modelo mais racionalizado, burocratizado e centralizado no sector do comércio e dos serviços introduziu alterações nas relações laborais dominantes. Porém, o gradual desaparecimento de um modelo paternalista baseado nas relações de poder informais e laços de confiança pessoais que ultrapassam a esfera laboral parece ter sido substituído por um modelo de precarização geral dos direitos dos trabalhadores e uma degradação das condições de trabalho nos grandes centros comerciais que pululam país afora.

CALL CENTERS:
À DESCOBERTA DA ILHA

Por **FERNANDO RAMALHO**
e **RUI DUARTE** (*)

Bom dia, está a falar com R., tenho o prazer de estar a falar com…? Em que posso ajudar?» Repetir esta frase entre 60 a 80 vezes por dia é apenas uma das tarefas a que milhares de operadores de *call centers* (centros de atendimento e de contacto) se dedicam.

Trata-se de uma realidade comentada por muitos, mas apenas conhecida por aqueles que a experimentam. É um território insular, para onde se vai com o intuito de «passar uns tempos», mas cuja viagem de regresso nunca está marcada. Ilha, não só porque o espaço físico onde se desenrola a actividade de um operador de *call center* tem essa designação, mas também porque se trata

---

(*) Respectivamente, livreiro e músico. Ambos são ex-operadores de *call center*.

de um território isolado, escondido para o exterior. Após uns anos na faculdade ou a tirar um curso de formação, a necessidade aperta e é preciso dinheiro. Olhar para as ofertas de emprego é pôr uns óculos de lentes afuniladas que muitas vezes nos levam para o desconhecido mundo dos *call centers*.

Aí chegados, as conversas com amigos e familiares não versam essa sua realidade sem interesse e desprestigiante, pelo menos sob o rigoroso e empreendedor olhar do circuito que nos rodeia. Sendo assim, a primeira lição é dada socialmente: as oito horas diárias que consomem um terço do quotidiano não são tema de conversa nem de interesse. Aprende-se, portanto, a esquecer. As regras básicas são as mesmas que um soldado raso tem de saber de cor. Começa-se por ouvir do formador que tudo o que ali está a ser ensinado pode e deve ser imediatamente esquecido, caso algum superior hierárquico assim o diga, mesmo que possa parecer totalmente despropositado: «a obediência é o óleo da máquina». Depois aprende-se que nada é feito ao acaso: uma infernal máquina de produção em série está à espera do operador na sala ao lado. Essa máquina funciona com um curioso combustível, o objectivo, associado ao TMA (tempo médio de atendimento) e às NC (não-conformidades) ou seja, erros ou esquecimentos que põem em causa toda a máquina: «qualquer distracção pode ser fatal», ouve-se com frequência. Fatal para o cliente, mas também para o operador, na medida em que os prémios de produção dependem da ausência de erros em todas as dezenas de chamadas que se fazem ou se recebem diariamente. No entanto, quando o trabalho se complexifica, há muitos operadores que podem tratar do mesmo cliente. Por exemplo, um trata do problema do cliente X em sistema informático, sendo que outro deve contactá-lo a informar da resolução dada. Aí, nem sempre o todo-poderoso *big brother* dos superiores e da gestão consegue actuar para detectar erros. Então, são os próprios colegas que são instruídos a vigiar e denunciar as faltas dos seus pares. Nesses casos, há *call centers* em que os colegas se transformam em inimigos brutais: perder um subsídio que ajuda a enganar o magro ordenado pode fazer verdadeira mossa.

Trabalhar num *call center* durante anos e nem sequer saber o nome de alguns dos colegas é outra das particularidades do ofício. A Ilha (posição de atendimento) de cada um está separada dos outros por grossos vidros, os horários de trabalho são muito diferentes e não há verdadeiro trabalho de equipa. Devido à sagrada produtividade, é muito raro que os intervalos sejam gozados em conjunto. Um a um, à vez, na sala de fumo, tenta, em dez minutos certos, descansar a cabeça das várias horas seguidas ao computador sem poder mudar de posição.

Quando há avalanches de chamadas e o trabalho se multiplica, o tempo torna-se o deus da produtividade.

Atendem-se várias dezenas de chamadas e as resoluções, sempre muito semelhantes entre si, devem ser fornecidas com a maior rapidez possível. Quando um dos sistemas informáticos (o programa que gere os clientes, ou o que dá ajuda ou ainda o que activa serviços) bloqueia ou fica lento instala-se o pânico nas chefias. A resposta passa a ser dada com lentidão e os supervisores começam, freneticamente, a deslocar-se à posição de cada um dos operadores a pedir contas pelos atrasos na resolução. Todo este alvoroço é facilmente explicado: as empresas recebem pelo número de chamadas atendidas ou efectuadas.

Curiosamente, também os tempos mortos podem ser um verdadeiro tormento. Mesmo sem chamadas, não se pode ler um livro ou aceder à Internet, restando ficar a olhar para o computador, nem que passem intermináveis minutos. Os mais audazes arranjam livros de bolso que tentam camuflar entre o teclado e o monitor, mas, para seguir esta estratégia, é necessário desenvolver uma avançada técnica de quase estrabismo: um olho nas letras da página e o outro a seguir eventuais movimentos de aproximação da gestão ou da supervisão. Claro que, se o «meliante» for um subversivo reincidente, arrisca-se a ficar tão mal visto, que a própria renovação de contrato pode ficar em causa.

Sindicalismo nos *call centers*

A luta laboral, tal como outras realidades existentes fora da ilha, não tem lugar no *call center*. Os activistas sindicais que aparecem são autênticas personagens *fellinianas*. Está um dia normal de trabalho, todos os trabalhadores com *head-sets* na cabeça, e eis que se sente uma pancada amistosa nas costas, seguida de um sorriso e da frase «sindicaliza-te pá, para defenderes os teus direitos»: são os bravos sindicalistas, todos com mais vinte ou trinta anos que a média etária dos operadores.

A juntar a estas raras aparições, há ainda um *placard* sindical que, para além de convocar para o 25 de Abril, 1.º de Maio ou para a Greve Geral, tem panfletos em letra muito pequena a lembrar as conquistas ou a perda delas, que «o sindicato conseguiu» através da mesa negocial. Resta acrescentar que os operadores, se não todos, quase todos, não são abrangidos por essas conquistas, pelo simples facto de não serem empregados da empresa-mãe, mas de subempresas que lhe prestam serviços.

Um operador de *call center* não luta porque não quer. O emprego é visto como passageiro, uma fase triste da vida profissional que rapidamente passará. Um outro emprego na sua área irá surgir a qualquer altura e, por isso, o facto de o contrato ser de um mês ou de seis até dá força à ideia que o tédio é apenas uma curta fase passageira. Uma boa ilustração deste quadro é a felicitação unânime e efusiva dos colegas quando alguém sai, mesmo que não se saiba para onde: para pior não será, com certeza. Assim, mesmo nas mentes mais combativas, associar-se a um sindicato está fora de questão, na medida em que esse seria o passo determinante para aceitar que este é o seu «ofício». Ninguém quer adoptar essa condição e, por isso, qualquer elo de ligação é sistematicamente combatido. Todos rejeitam a identidade de *«call-centristas»*: ninguém estudou para isso, é socialmente visto como um dos mais desqualificados empregos dos tempos modernos e, portanto, humilhante.

Demonstra bem esta realidade o surpreendente facto de os sindicalizados de um *call center* serem quase sempre supervisores: apesar de não serem aqueles que apenas têm as amarras a perder na luta, são os únicos que acreditam na sua função e que por isso se podem ligar a ela. Para além do acima referido, há ainda a questão da memória. A escassez de dados sobre os *call centers*, que não é mais do que outra prova da insularidade social de que sofre esta profissão, não nos permite aferir com rigor a média etária dos operadores. Em todo o caso, na grande parte dos *call centers*, alguém com 25 anos já não é nada novo e encontrar alguém com dez anos de casa é uma raridade digna de ser estudada por antropólogos. Assim, não há qualquer memória de eventuais sucessos ou insucessos de lutas ou da vantagem de estar unido ao parceiro para ter mais força. Esta falta de memória colectiva ajuda a criar a sensação que qualquer esboço de luta seria uma utopia tão difícil e original como passar pela primeira vez o Cabo das Tormentas.

A abstracção do trabalho na sua forma acabada

A função de operador de *call center* representa aquilo que se poderá designar por a abstracção acabada do trabalho. No típico modelo *fordista* de organização do trabalho, a utilidade da mercadoria produzida, ou seja, a expressão qualitativa do trabalho, assumia um papel decisivo na definição do seu valor de troca. Ao contrário, neste modelo *neofordista*, é apenas a quantidade de trabalho dispendido num determinado espaço de tempo que conta como critério de qualidade. É óbvio que o operador de *call center* deve ser simpático e deve prestar informações correctas ao cliente, mas o que, verdadeiramente, é aferido no final do período de trabalho é a quantidade de chamadas efectuadas ou recebidas e a sua duração média. É como se, numa linha de montagem clássica, fosse relativamente indiferente produzir sapatos com ou sem sola, teclados de computador com ou sem teclas, pneus redondos ou com arestas. A unidade de medida tempo é a referência quase exclusiva. A ausência de auto-identificação do trabalhador com o seu trabalho talvez se explique, em boa medida, por aí. Enquanto para um operário da indústria automóvel é imediatamente apreensível a utilidade do seu trabalho, para um operador de *call center* o seu trabalho resume-se a uma corrida contra o tempo, em direcção à fuga da ilha. O apelo permanente ao espírito de equipa, a apresentação dos objectivos a atingir como um móbil para o qual todos se esforçam igualmente, a lógica corporativa, desempenham aqui um papel que não se destina, exclusivamente, a aniquilar a contestação das condições de trabalho ou qualquer perspectiva de organização autónoma dos trabalhadores. Acaba por ser, também, uma forma de criar um elemento simbólico que mobilize subjectivamente em cada trabalhador a sensação de utilidade do seu trabalho. Este debate dificilmente levará à conclusão de que estamos a presenciar uma alteração radical do paradigma de organização do trabalho ou que os operadores de *call center* são o *lumpen* dos tempos modernos. As alterações são *nuances* internas ao paradigma de sempre: aquele que procura, obsessivamente, sofisticar os métodos para assegurar a máxima criação de valor através do trabalho. O debate sobre perspectivas mais abrangentes de transformação social passa, seguramente, por aqui.

Agradecemos a sua disponibilidade para a leitura deste texto e desejamos-lhe um bom resto de dia.

CALL CENTERS:
TEMPLOS DE PRECARIEDADE
(AUTO)IMPOSTA

Por **JOÃO ASSUNÇÃO RIBEIRO, MARCOS PEREIRA** e **RICARDO COSTA** (*)

O trabalho, quer nas suas construções conceptuais, quer nas suas formas de manifestação, está em profunda mutação. Entendamo-lo todavia entre a sua caracterização «como experiência humana tendente a produzir uma marca no seu meio ambiente orientada por uma necessidade de sobrevivência biológica e caracterizada por acções capazes de modificar a forma e o estado desse meio ambiente» ([1]) e a ideia de que é uma manifestação

---

(*) Respectivamente, jurista, técnico de controlo de qualidade/formador de *call center* e ex-operador de *call center*. Os autores são estudantes de Sociologia (curso pós-laboral) da FCSH-UNL.

([1]) Jacques Hamel, «Sur les notions de travail et de citoyenneté à l'heure de la précarité», *Labour/ Le* Travail, n.º 48, Outono de 2001, p. 109.

da «confiança dos seres humanos na continuidade da sua própria identidade e na constância das circunstâncias das suas acções sociais e materiais» [2]: o trabalho enquanto «acção em virtude da qual se estabelecem as principais ligações entre os indivíduos» (actores sociais), numa «interacção que lhes atribui um estatuto de deveres e direitos», não apenas enquanto trabalhador mas como parte da sua comunidade [3]. O surgimento de novas formas de trabalho, a deslocalização industrial, a mobilidade internacional de mão-de-obra, a economia virtual e a cada vez maior autonomização laboral do indivíduo têm contribuído para a crescente proclamação do «fim do trabalho» [4] ou do «fim das sociedades fundadas no trabalho» [5]. A antropologia tem, com pertinência, persistido em recordar que o trabalho continua, independentemente das suas novas formas ou *crises*, a ser dotado de incontornáveis dimensões simbólicas e culturais [6]. Em toda esta dinâmica discursiva é ainda possível captar o predomínio de uma retórica crescente em

---

[2] *Idem*, p. 113.

[3] Anthony Giddens, *Les Conséquences de la modernité*, 1994, citado em Jacques Hamel, *op. cit.*, p. 110.

[4] Jeremy Rifkin, *La Fin du travail*, La Découverte, Paris, 1996; Dominique Méda, *Le Travail, une valeur en voie de disparition*, Aubier, Paris, 1995.

[5] Jurgen Habermas, *Discours philosophique de la modernité*, Gallimard, Paris, 1988, p. 97.

[6] Jacques Hamel, *op. cit.*, p. 111.

ENTRE A FÁBRICA E O *CALL CENTER*

torno das «virtualidades da mudança e da mobilidade», do «trabalhador-nómada» [7]. Essa seria mesmo condição para uma valorização livre das competências de cada um, inserida num «novo espírito do capitalismo» [8].

Ora, algumas actividades do sector dos serviços, com abundante mão-de-obra imigrante, são especialmente caracterizadas por insegurança e inconstância das relações laborais, formalizadas por precariedade e instabilidade contratuais. É disso exemplo o proliferar de contratos a termo de curta duração e de contratos de prestação de serviços (claramente violadores do espírito do legislador), renovados quinzenalmente, praticados, por exemplo, por prestadores de serviços de *call center* quando se debate a situação precária destes trabalhadores [9]. Estas empresas têm uma grande flutuação do seu capital humano, com frequentes novas contratações e constantes dispensas, e o nível de qualificação

---

[7] Ana Maria Duarte, «Precariedade e identidades. Questões para uma problemática», *Actas dos Ateliers do V Congresso Português de Sociologia. Sociedades Contemporâneas: Reflexividade e Acção – Atelier: Mercados, Emprego e Trabalho*, 2004, p. 13.

[8] Luc Boltanski e Ève Chiapello, *Le Nouvel esprit du capitalisme*, Gallimard, Paris, 1999.

[9] Andrea del Bono, *«Call center*s, el Trabajo del Futuro?», *Sociologia del Trabajo*, n.º 39, Primavera de 2000, pp. 3-31. Optamos pela expressão *call centers* em detrimento de *telemarketing*, em referência às empresas prestadoras desses serviços, por traduzir melhor a ideia de *espaço* que procuraremos descrever.

dos operadores é tendencialmente elevado, quer pela necessidade de possuírem competências informáticas quer pela crescente necessidade do domínio de línguas [10]. A forma como as funções de operador se organizam no espaço de trabalho tende a sugerir o ressurgimento da divisão do trabalho *taylorista* e *fordista* – será uma imagem exagerada mas, seguramente, comportará uma nova morfologia do trabalho que influirá inevitavelmente no desenho de novas «formas de representação das forças sociais do trabalho» [11]. Os operadores dos *call centers* são o novo proletariado da era cibernética, o *«cybertariat»* como oportunamente o baptizou Ursula Huws em *The Making of a Cybertariat: Virtual Work in a Real World* [12].

Neste artigo procuramos reproduzir particularidades do contexto espacial dos *call centers*, identificando esse espaço e seus subespaços, tentando desnudar o contexto das relações interpessoais dominantes em resultado da observação directa de uma empresa em particular sedeada em Lisboa. A empresa em causa, tal como a maioria das

---

[10] Maria João Santos e Ana Paula Marques, «O Caso dos *call centers* – Organização do trabalho e atitudes face ao trabalho e emprego », *Sociologia, Problemas e Práticas*, n.º 52, 2006, p. 68.

[11] Ricardo Antunes, «O século XX e a era da degradação do trabalho», *Por uma sociologia do século XX*, Josué Pereira da Silva (org.), Annablume, São Paulo, 2007, p. 33.

[12] Ursula Huws, *The Making of a Cybertariat: Virtual Work in a Real World*, Monthly Review Press, Nova Iorque, 2003.

empresas do sector ([13]), tem pouco mais de 300 trabalhadores. As funções exercidas por este corpo laboral consistem em estabelecer contactos telefónicos com clientes tendo em vista a contratualização de serviços de telecomunicações. Os trabalhadores que desempenham funções de chefia ou de coordenação beneficiam de estabilidade contratual (menos de 10 por cento do quadro de pessoal da empresa) ([14]), ou seja, têm contratos sem termo e, portanto, não sujeitos à renovação quinzenal imposta aos restantes trabalhadores denominados de *operadores*. Esta condição de *privilégio* não deixa de ser um reconhecimento implícito dos órgãos decisores da empresa de que a estabilidade contratual confere maior responsabilização no trabalho – e consequente aumento de produtividade. Na linha comercial de *outbound* (telefonemas do operador para o potencial cliente) existem cinco supervisores, cada um responsável por uma equipa de operadores, e três técnicos de controlo de qualidade que ocasionalmente acumulam a função de formadores durante o processo de recrutamento de novos operadores. Estes três técnicos têm a responsabilidade de providenciar formação inicial, escolhendo quem é contratado, desenvolvem avaliações contínuas *(monites)* determinantes para a promoção ou afastamento de um operador.

([13]) Maria João Santos..., *op. cit.*, p. 68.
([14]) *Ibidem*, p. 75.

Os supervisores trabalham sob orientação de um coordenador. Anualmente, mais de metade dos operadores são substituídos por novas pessoas. A permanência de um operador na empresa está directamente relacionada com o número de vendas diárias por si alcançado – um *bom operador* deve conseguir um rácio de *venda* de 0,5, sendo que cada produto vendido equivale a um número de pontos que determinará o valor da comissão. O operador tem ainda de controlar o tempo médio de cada telefonema – o chamado *wrap up* de cada operador não pode ultrapassar 20 por cento do tempo médio, sob pena de advertência [15]. Os resultados individuais destes indicadores são afixados na sala e à frente de cada nome é assinalada uma cor: verde, se o operador estiver a corresponder às médias estatísticas desejadas; amarelo, se estiver a corresponder medianamente às expectativas estatísticas; e vermelho, se não estiver a respeitar os parâmetros estatísticos definidos.

Durante o horário de trabalho, os operadores estão com auriculares colocados nos ouvidos, atendendo clientes de forma quase contínua, o que torna a comunicação com os outros colegas praticamente impossível. Dentro da própria empresa (espaço físico) identificamos três subespaços susceptíveis de observação dos actores sociais em interacção. Um primeiro, e talvez o mais rico, é o

---

[15] *Ibidem*, p. 71.

refeitório: é o espaço onde todos os trabalhadores se reúnem tanto para almoçar como para lanchar ou jantar. Os diferentes *grupos de trabalhadores* (redes) distribuem-se habitualmente por várias mesas, cada uma com capacidade para 16 pessoas. É neste espaço que têm alguns dos raros momentos com oportunidade para conversarem entre si e não com os clientes – o relacionamento entre colegas é *fraco* devido à constante renovação, ao desfasamento de horários, à atomização de tarefas absolutamente iguais, sendo praticamente inexistentes os laços sociais entre operadores. O segundo espaço, que baptizamos como *esplanada*, é um espaço ao ar livre escolhido por muitos trabalhadores para *gozar* os seus pequenos intervalos. Como é o único espaço onde é permitido fumar, acaba por ser muito concorrido por todos os fumadores, embora não exclusivamente por estes. Muitos dos frequentadores deste espaço aproveitam o pouco tempo disponível para pequenas leituras ou para *pôr a conversa em dia*, partilhando as suas angústias, tristezas, preocupações, projectos, etc. O terceiro espaço é o *corredor*, sede nobre das *conversas de corredor*. Entre as várias salas de *operadores*, que não identificamos como espaço relevante por inexistência de interacção, existem extensos corredores onde os operadores se cruzam e, fora do olhar das chefias, tecem comentários sobre a sua vida, sobre a sua situação laboral ou sobre como *estão a correr as vendas*, expressão frequentemente usada na empresa.

Os corredores são o local onde os trabalhadores têm mais liberdade para tecerem críticas aos seus superiores e às empresas, sem medo de represálias por parte das hierarquias. Os trabalhadores dividem-se por salas de operadores e a cada uma dessas salas corresponde uma *equipa,* sendo que cada uma delas tem o seu próprio *supervisor,* responsável pela sala. Ou seja, esta divisão física das salas promove a constituição de diferentes redes de actores, que podem ter mais ou menos ligação com outras redes (de amizade) no interior da própria empresa.

A dimensão temporal tem particularidades – a empresa em causa funciona 24 horas por dia e só encerra aos domingos. Existem dois momentos recorrentes propícios à interacção dos trabalhadores. Em primeiro lugar, os *intervalos* que acontecem a cada duas horas e com uma duração de quinze minutos – há uma sucessão de equipas em intervalo de forma a garantir a continuidade da actividade. Em segundo lugar, temos *a pausa para refeições* que tem uma duração de 45 minutos, quer ao almoço quer ao jantar, e que divide todos os trabalhadores em três grupos distintos, com três pausas para refeições em diferentes e sucessivos horários para os três grupos. Ou seja, três grupos sucessivos de trabalhadores ao almoço e três grupos sucessivos de trabalhadores ao jantar – o maior período de interacção à disposição dos operadores.

Diálogos de precariedade

A empresa escolhida estabelece rigorosos objectivos comerciais que revê e redefine frequentemente de acordo com as suas necessidades de facturação, o que provoca diferentes níveis de exigência à *performance* comercial dos *operadores*. Quando se dá uma alteração desses mesmos objectivos (o que normalmente acontece de dois em dois meses) há uma maior preocupação entre os operadores com a manutenção dos seus postos de trabalho. É frequente, quando tais alterações ocorrem, que as *conversas* sejam sobre a viabilidade dos objectivos estabelecidos ou sobre as probabilidades de manutenção do posto de trabalho. Este *momento previsível e recorrente* estimula *diálogos de precariedade*. De tempos a tempos, e de forma inesperada, não avisada, a empresa realiza acções de formação para a inclusão de novos *colaboradores*. Essas acções organizam-se em grupos até 35 elementos e são visíveis pelos operadores. Muitos dos trabalhadores sabem que, eles próprios ou algum dos seus colegas mais próximos, poderão perder o seu lugar para um destes novos trabalhadores em formação. Esta situação gera crises ou conflitos entre os *operadores*. Estas acções de formação (re)lembram a insegurança laboral em que vivem (possibilidade de não renovação contratual de quinze em quinze dias) e que a manutenção dos seus postos de trabalho depende directamente do volume de vendas que

conseguem realizar, potenciando a quebra de solidariedade de classe, fracturando estratégias colectivas e incen-
tivando o individualismo profissional.

As pesquisas conhecidas evidenciam que a maioria
destes trabalhadores desejam o regime precário em detrimento de um vínculo efectivo, ao contrário do que se
possa presumir – será essa característica dos *call centers*
que atrai sobretudo jovens, assegurando-lhes um rendimento e uma ocupação que é esmagadoramente encarada como transitória e portanto desejavelmente de fácil
abandono [16]. Por outro lado, algumas pessoas têm uma
visão informada e reflexiva sobre a sua realidade – certos *operadores* encontram-se numa situação de trabalho
precário há longos anos e, provavelmente, passaram por
diversas empresas do mesmo ramo, com a mesma política contratual e não estão dispostos a trocar flexibilidade por integração e segurança [17]. Mas essa (falsa)
consciência não diminui o condicionamento que a incerteza (a falta de uma garantia temporal de médio/longo
prazo), gerada pela precariedade, tem na construção
dos projectos individuais de vida, e consequentemente
nos projectos colectivos, em torno de todo e qualquer
investimento material (acesso a crédito bancário para
a compra de bens duradouros), social (estilos de vida,

---

[16] *Ibidem*, p. 79.
[17] *Ibidem*, p. 80.

regularidade de percursos de participação social e de cidadania) e afectivo – a precariedade como mais uma forma de dominação, fundada num estado generalizado e permanente de insegurança constringindo os trabalhadores à submissão e à exploração [18]. Ganha assim força a ideia de *flexiexploração*, em que o dinheiro como meio de emancipação justifica flexibilidade e inevitabilidade. Este mecanismo, aparentemente natural, impõe-se sobretudo aos jovens, duramente atingidos pelo desemprego, pela flexibilidade laboral e pela liberalização dos mercados, sob a *chantagem da necessidade* – verdadeiro instrumento de violência simbólica.

---

[18] Pierre Bourdieu, «La Précarité est aujourd'hui partout», *Contre-feux*, Liber/Raisons d'agir, Paris, 1998, p. 99, citado em Ana Maria Duarte, *op. cit.*, p. 16.